Hitler, mon voisin

Edgar Feuchtwanger
avec Bertil Scali

Hitler, mon voisin

Souvenirs d'un enfant juif

11-13, boulevard Paul-Émile-Victor – Île de la Jatte
92521 Neuilly-sur-Seine cedex

www.michel-lafon.com

Je suis aujourd'hui fermement convaincu que c'est en général dans la jeunesse qu'apparaît chez l'homme l'essentiel de ses pensées créatrices.

Adolf HITLER, *Mein Kampf*

1929

Une heureuse prédestination m'a fait naître à Braunau-am-Inn, bourgade située précisément à la frontière de ces deux États allemands dont la nouvelle fusion nous apparaît comme la tâche essentielle de notre vie, à poursuivre par tous les moyens.

Adolf HITLER,
première phrase de *Mein Kampf*

J'aime quand elle me joue ce morceau au piano. C'est un menuet. Elle m'a dit que Mozart l'avait composé à mon âge. J'ai cinq ans. J'écoute les notes et c'est très joli. J'ai envie de danser. Allongé par terre, je nage sur le parquet comme si c'était un lac. Les fauteuils sont des bateaux, le canapé une île et la table un château. Si maman me voit, elle va me gronder et dire que je salis mon costume.

Je m'en fiche. Il me gratte de toute façon. Maintenant, je suis à plat ventre sous la chaise. Avec mon fusil, je ne crains rien si les Français attaquent. Je resterai caché.

J'ai encore eu peur ce matin, quand les pauvres sont venus sonner à la porte, en bas, devant chez notre gardien. Maman est descendue et j'ai observé du haut de l'escalier. Ils étaient barbus, leurs vêtements étaient troués. Ils voulaient de l'argent. Ils vendaient des lacets de chaussures. Maman est remontée, elle est passée devant moi sans me voir, elle a pris une miche du pain que j'adore, blanc et croustillant, avec de la croûte dorée qui s'emmêle dessus comme des nattes de fille, et elle est redescendue. Quand elle la leur a donnée, les pauvres lui ont souri et ils sont partis dans la rue.

D'autres sont venus dans l'après-midi. Elle jouait encore du piano, le morceau qui va vite à la fin, elle riait et je tournais en regardant filer la pièce autour de moi.

Les mendiants sont revenus. C'est moi qui les ai entendus tambouriner à la porte. Maman a arrêté de jouer et elle est allée ouvrir. L'un d'eux criait fort. Il disait qu'on leur avait pris leur maison, leurs économies, et qu'ils étaient dans la rue avec leurs enfants. Il disait que c'était à cause des Juifs. J'ai eu peur, ça m'a donné envie de pleurer. Maman a été gentille et un gros, plus grand et plus fort que les autres, avec une grande barbe blanche, a dit qu'il la connaissait. Il a crié : « C'est une Feuchtwanger ! »

Il a tiré en arrière le petit méchant qui hurlait. Il a expliqué qu'il avait connu oncle Lion à l'école et que même il avait lu ses livres. J'étais caché en haut, aux aguets avec mon fusil. J'avais envie d'être invisible, comme dans le livre qu'on me lit le soir. Le barbu m'a fait un clin d'œil et il a dit au petit qu'il lui cassait les oreilles avec ses histoires de Juifs. Maman l'a remercié gentiment et a demandé à Rosie d'aller chercher des saucisses. Rosie, c'est ma gouvernante. J'ai roulé sur moi-même comme un soldat et elle ne m'a pas vu en passant. Son tablier blanc et sa robe noire ont fait un bruit de feuillage. J'étais sous une chaise. Je l'ai regardée marcher vers la cuisine. Elle râlait en patois, cette autre langue qu'elle parle quand personne ne l'entend. Elle traitait les pauvres d'imbéciles, jurait que des saucisses on n'en avait pas tant que ça, et qu'elle ne savait pas ce qu'on aurait ce soir à dîner. Elle est revenue avec les saucisses et a fait un sourire au gros monsieur. Il l'a remerciée, il a béni ma mère, et il est reparti avec la troupe.

Maman a parlé avec Tante Bobbie, notre voisine du dessus, qui était descendue. Je n'entendais pas bien. Je crois que Tante Bobbie lui a dit que notre oncle allait nous attirer des soucis s'il ne faisait pas attention avec ses livres. Mon oncle Lion est écrivain. Il invente des histoires pour les grands. Maman a souri à Tante Bobbie et lui a promis d'avertir oncle Lion. Elle essayait de la rassurer, lui conseillant de ne pas s'en faire, les mendiants dehors étant juste des pauvres gens qui ont fait la guerre puis ont tout perdu. Moi, j'ai couru à la fenêtre pour les voir. Ils sonnaient à la porte de l'immeuble d'en face, formaient une petite bande avec d'autres, un peu plus loin.

Je regarde les pauvres par la fenêtre depuis ce matin. Ils sont en bas de l'immeuble. Et s'ils attaquaient ? Moi, j'ai mon fusil ! Maman m'a vu. Elle m'a fait un sourire, est venue près de moi, a fermé les rideaux et a annoncé le goûter. Je lui ai demandé ce que c'était un Juif, et elle m'a chuchoté dans l'oreille que j'étais trop petit pour comprendre.

J'ai peut-être cinq ans mais je saisis tout. Je sais ce qu'est un Juif ! Un jour mon père en a parlé devant moi à ma mère. Elle lui a demandé de changer de sujet car ce n'était pas de mon âge, il a répondu que je ne pouvais pas comprendre et a continué. Je jouais par terre avec mes petites voitures en faisant semblant de ne pas écouter. J'ai pourtant tout entendu. Il parlait des nazis qui n'aiment pas les Juifs. Les Juifs, c'est nous, la famille Feuchtwanger. Je le sais depuis longtemps. J'en avais déjà parlé à Rosie. On est pareil, m'a dit Rosie quand je l'ai interrogée, c'est juste que les Juifs ne croient pas que le petit Jésus a existé. Pourtant moi, je sais qu'il a existé. Rosie m'a raconté toute son histoire. Il avait les cheveux longs et était très gentil. Des méchants l'ont attaché à une croix, lui ont planté des clous dans les mains et les pieds, et l'ont tué. Je voulais savoir si c'étaient les Juifs qui étaient les méchants. Rosie m'a répondu que non, que les nazis confondaient tout. Ce sont les Romains qui l'ont assassiné, et d'ailleurs Jésus était juif. C'est une histoire très ancienne, d'une autre époque, d'un autre temps, bien avant ma naissance, celle de mes parents, des leurs, et de tous leurs ancêtres, avant le temps des voitures et des villes sur Terre, c'est arrivé dans un ancien pays disparu, au-delà des montagnes, de la campagne, des rivières et des mers. Elle a ouvert son chemisier et m'a montré sur sa poitrine une toute petite croix en or. Elle m'a dit que je pouvais la prendre avec mes doigts. Je l'ai effleurée, elle l'a portée à sa bouche et a déposé dessus un petit baiser, puis elle m'a embrassé le front en disant que j'étais son petit chéri, et que tous les enfants et tous les hommes étaient faits d'une seule chair, que nous étions tous des fils du Seigneur, et que le petit Jésus avait dit que nous devions tous nous aimer. Elle avait l'air un peu triste, je me suis serré contre elle. Ainsi, quand mes parents ont parlé des nazis, je savais de quoi il s'agissait. J'avais envie de leur expliquer que les nazis confondaient les Juifs et les Romains. J'ai préféré continuer à faire semblant de jouer par terre pour entendre la suite de l'histoire. On était dans le bureau, là où papa range tous ses livres, dans des bibliothèques qui montent jusqu'au plafond. Il en a des milliers. Il les a tous lus, il aime les regarder, les attraper, les ouvrir, les refermer, les caresser. Il m'a promis qu'un jour ils seraient à moi et que je les lirai tous.

*
* *

Mes parents sont assis dans le canapé en velours vert. J'aime quand ils sont là tous les deux. Parfois, il lui touche le visage. Il la regarde, elle l'admire, lui dit qu'il est beau, qu'elle l'aime, mais que sa moustache la chatouille quand il l'embrasse, il lui répond que ses baisers font de la buée sur ses lunettes. Mon père est beau, élégant. J'aimerais être habillé comme lui, porter une chemise blanche et une cravate au lieu de ce petit costume de laine qui me gratte, et puis une jolie veste avec de larges rayures comme la sienne. Il me répète que je suis trop petit.

Ils prennent le café. J'ai eu le droit de faire un canard : un morceau de sucre trempé dans le café. Je l'ai attrapé avec une pince en argent au creux de la jolie boîte brillante dans laquelle on se voit tout déformé, et je l'ai approché de la tasse chinoise où est dessiné en mauve un empereur assis sur une chaise à porteurs. Le sucre a touché le café fumant, il s'est imbibé – c'est drôle quand le café monte le long du sucre –, et je l'ai attrapé du bout des lèvres. Je l'ai sucé avec un petit bruit et je me suis glissé à nouveau sous la table basse en le laissant fondre dans ma bouche. Je me suis rappelé le jour où une dame était venue à la maison avec un petit chien, un teckel. Elle lui avait commandé de faire le beau. Il s'était assis sur le derrière. Elle lui avait posé le sucre sur la truffe et avait chuchoté : « Allez, hop ! » Il avait happé le sucre de sa jolie bouche noire et caramel. Je crois que c'était un chien acrobate.

Les rayons du soleil chauffent mes jambes hors de ma cachette. J'écoute ce qu'ils disent. Ils parlent d'oncle Lion et d'Adolf Hitler. Oncle Lion pense qu'un jour Hitler sera le chef et que, ce jour-là, il tuera tous les Juifs. Je ne sais pas qui est Hitler. Mes lèvres tremblent, j'ai envie de pleurer. Je sors de mon abri et me glisse dans les bras de mes parents. Ils ne comprennent pas pourquoi je sanglote. Moi non plus. Je leur dis que je les aime et que je veux qu'ils ne meurent jamais. C'est pour ça que des larmes sont montées à mes yeux. Heureusement, c'est fini maintenant.

*
* *

Je suis à cheval sur mon éléphant à roulettes. Il s'appelle Hannibal, comme l'empereur qui a fait la guerre aux Romains avec des éléphants. Il les a attaqués en passant par la montagne en hiver. Assis sur son dos, mes pieds ne touchent plus le sol. Sur Hannibal, je suis haut, je suis grand. La fenêtre est ouverte, on entend les oiseaux et les automobiles. J'approche Hannibal et je m'accoude à la fenêtre pour regarder dehors. Je fais toujours attention à ne pas me pencher, sinon Rosie me gronde. Les autos brillent, les rayons du soleil se reflètent dans leurs grands phares ronds et font danser sur le plafond de la chambre des petites traces de jolies couleurs, celles des pistaches, du vin, des fraises. Il fait beau, les voitures sont décapotées et je vois les passagers. Là, c'est Tante Bobbie, qui habite au-dessus de chez nous. Elle est avec son amoureux, le duc Luitpold de Bavière. Un duc, c'est comme un prince ou un roi, et la Bavière, c'est l'autre nom de notre pays : mes parents disent que nous vivons en Allemagne, mais Tante Bobbie, le duc et Rosie assurent que nous habitons la Bavière. Papa et maman disent qu'ils sont allemands, Tante Bobbie et le duc qu'ils sont bavarois.

Un chauffeur conduit la voiture du duc. Je vois ses gants blancs et sa casquette avec un galon doré et une visière noire et brillante qui le protège du soleil et du vent. Son automobile ressemble à un carrosse doublé de cuir beige. Le duc a vraiment l'air d'un roi. Il porte un haut-de-forme, une veste à queue-de-pie qui lui donne l'air d'un pingouin, et une seule lunette. C'est un monocle. Je le surnomme « le Magicien » parce qu'il arrive à faire tenir en équilibre devant son œil ce verre tout rond. Tante Bobbie porte un grand chapeau blanc, ses bagues clignotent au soleil, elle me voit et me fait signe. Elle crie : « *Bürschi !* » C'est comme ça qu'on m'appelle à la maison, ça veut dire « petit garçon » en bavarois. Je lui réponds d'un geste de la main. Le duc me salue à son tour, agitant le pommeau doré de sa longue canne royale. Elle brandit un petit paquet avec un ruban rouge. Je sais que c'est une boîte de pâtes de fruits car elle m'en offre tout le temps. J'ai hâte qu'elle monte à la maison pour me la donner, j'ai envie que ce soit tout de suite.

Ils regardent de l'autre côté de la rue où une grande voiture noire s'est arrêtée. Un chauffeur en uniforme de soldat fait le tour de l'auto et ouvre la portière du passager. Un monsieur en sort, il observe Tante Bobbie, puis le duc, et il lève les yeux vers moi.

Il porte une petite moustache noire, la même que celle de papa.

*
* *

Rosie m'a fait sursauter. Elle a fermé la fenêtre d'un coup, tiré les rideaux, m'a déshabillé et mis au lit pour la sieste. Je déteste la sieste. Je n'aime pas les barreaux de mon lit non plus.

J'entends encore le chant des oiseaux, je regarde l'ombre des rideaux qui fait comme des vagues sur le plafond, et les moulures qui forment de petites montagnes. Les yeux fermés, je sens la douce main de Rosie sur ma joue. Je m'endors.

Je suis réveillé. J'ai fait un cauchemar. J'ai rêvé que le monsieur d'en face devenait un ogre, qu'il nous attrapait et voulait nous dévorer. Il avait les cheveux hirsutes et les ongles longs et effilés, comme ceux de Struwwelpeter, le méchant garçon du livre posé sur ma table de nuit. Avec ses ongles crochus et ses cheveux pointus comme les piquants d'un hérisson, l'ogre poursuivait ma famille dans les rues. Je tenais mes parents par la main, ils couraient trop vite pour moi, je glissais et tombais derrière eux, maman me rattrapait, le monstre approchait. Le méchant Friederich, le petit garçon qui fouette sa bonne, tue les chats avec des cailloux, arrache les ailes des mouches et étrangle les tourterelles, était dans mon rêve aussi, il lançait des chaises comme des boulets de canon.

Je ne sais pas si j'aime le livre *Struwwelpeter*. On y voit le petit Jésus offrant des cadeaux aux enfants sages qui mangent bien leur soupe, jouent avec leurs jouets, vont main dans la main gentiment avec leur mère. Il a des ailes d'ange et une couronne. Il ressemble à une petite fille en chemise de nuit, à genoux dans la neige. Une étoile brille au-dessus de sa tête. Un fusil à baïonnette et un tambour militaire flottent sur la page parmi les cadeaux. Le livre raconte les histoires atroces de méchants enfants : Friederich fouette cruellement son chien ; la petite Pauline périt dans les flammes qui consument ses rubans, ses cheveux, ses pieds, ses paupières, il ne reste d'elle que des tas de cendres et ses petits souliers cirés, ses deux chatons pleurent, leurs larmes forment un lac ; des enfants se moquent d'un gamin tout noir et sont punis par le grand Nicolas, il les plonge dans de l'encre, ils finissent aussi plats que du papier, on dirait des ombres ; l'homme aux grands ciseaux coupe le pouce de Conrad pour qu'il ne le suce plus, et cette histoire me terrorise car je suce mon pouce, alors que Gaspard, lui, meurt car il ne mange jamais sa soupe, et Robert disparaît dans le ciel, emporté par son parapluie. C'est embrouillé dans mon esprit. Ils flottent dans les airs, volent autour de moi, se déforment, s'allongent, disparaissent…

J'ai chaud. Ma nuque est mouillée.
C'était un cauchemar.
Je suis debout dans mon lit.

J'enjambe les barreaux, je grimpe sur le petit siège en rotin et je regarde par la fenêtre.

La rue est calme. Un rideau bouge en face.

*
* *

Je suis tout nu dans la maison. Je saute partout et je fais rire Rosie qui essaye de m'attraper pour m'habiller. Elle m'appelle sa poupée et m'enfile une combinaison en laine qui me gratte. J'aime jouer avec ma poupée, mais je n'en suis pas une ! La mienne, je l'habille et je la promène dans son landau. Je la couvre de plaids pour qu'elle n'ait pas froid. Avec Rosie on descend la promener tous les jours, on va jusqu'au parc. Sur le chemin, on passe devant chez M. Hitler. Rosie marche toujours un peu plus vite et ne m'écoute plus.

Hier, j'ai fait tomber mon bonnet devant son immeuble et elle ne m'a pas entendu quand je le lui ai fait remarquer. On a dû revenir sur nos pas. Un garde le tenait dans ses mains. Grand, vêtu comme un soldat, il a dit que j'étais bien mignon, que je serai un Allemand bien courageux quand je serai grand. Rosie n'a pas voulu rester plus longtemps, elle m'a emmené, marchant vite, me serrant la main trop fort. Elle semblait contrariée, je n'osais rien dire. D'une voix forte, elle m'a expliqué à nouveau qu'il ne faut pas parler aux gens qu'on ne connaît pas.

Je suis bien tranquille à la maison et je vois le garde depuis la fenêtre de ma chambre. C'est amusant, les gens lui font souvent un signe en levant le bras en l'air quand ils passent devant lui, et lui leur répond d'un signe de la main. Je regarde rouler les voitures. Elles vont plus vite que les calèches tirées par les chevaux que j'aime tant. Je les entends circuler. Le claquement des sabots sur les pavés ressemble à celui de l'eau quand Rosie lave la vaisselle. Je sais faire le même bruit avec la langue.

J'ai un cheval de bois épatant. Le Père Noël me l'a laissé sous le sapin, à côté du piano. Nous avions posé nos chaussures au pied de l'arbre décoré de boules rouges et, le matin, au réveil, chacun avait un cadeau devant son soulier. Tout le monde a embrassé mon père pour son cadeau. J'en ai fait autant, mais il nous a dit que c'était le Père Noël qu'il fallait remercier. J'ai ajouté qu'il ne fallait pas oublier de penser à Jésus dont c'était l'anniversaire, et tout le monde s'est esclaffé. Je n'ai pas bien compris pourquoi, j'ai juste rigolé. Cela arrive souvent : je fais rire les grandes personnes sans le faire exprès. Maman a remarqué que je rougissais. J'ai voulu me regarder dans le miroir de l'entrée. Je n'ai rien vu. Il paraît que le rouge sur les joues ne se reflète pas dans les glaces mais seulement dans les yeux des autres. C'est le cœur qui chauffe fort quand on est heureux. Maintenant je le sens quand ça m'arrive.

*
* *

Maman est tous les jours à la maison. Papa, lui, rentre tard, après mon dîner. Cet après-midi elle n'était pas là. Elle est arrivée avec lui juste après ma sieste. Ils portaient des paquets, ils riaient. Ils m'ont dit que j'étais leur petit trésor et n'ont pas cessé de m'embrasser.

Aujourd'hui est un grand jour ; c'est une journée spéciale car oncle Lion vient dîner à la maison.

Mon père a poussé un grand cri en voyant la table et il a levé les bras en remerciant Rosie. Maman l'a félicitée également et j'ai bien cru la voir rougir. Rosie a précisé que nous avions dressé la table ensemble. Le rouge s'est aussitôt dissipé de son joli visage. Mes parents m'ont applaudi, et là je crois que c'est moi qui ai rougi… Le matin, Rosie avait d'abord repassé la grande nappe blanche, celle qu'elle range dans la buanderie. Cette pièce est également ma chambre : quand on parle de moi ou de mes jouets, on l'appelle « la chambre de Bürschi », et quand il s'agit du linge à repasser, à plier ou à ranger, on dit « la buanderie ». Nous la partageons dans la journée.

Au centre de la pièce, Rosie avait fait rouler la console en croissant de lune d'habitude rangée devant la fenêtre du salon. Elle l'avait étirée comme un élastique, la transformant en une immense table de salle à manger, et avait étalé dessus un molleton mou et doux, puis la grande nappe blanche sous laquelle j'avais joué au fantôme plus tôt. Elle avait fait chauffer le fer pour la repasser. Je me suis assis sur ma petite chaise, ma poupée dans les bras. Je l'ai regardée écraser les plis à l'aide du fer chaud qui glissait sur la nappe. Il avançait comme un cygne sur l'eau, Rosie aspergeait le linge de gouttes parfumées que le fer semblait avaler. Puis elle a mis le couvert. Elle m'a donné des missions : j'ai disposé deux couteaux et deux fourchettes de chaque côté des assiettes, une petite cuillère et un petit couteau devant chacune, et j'ai ajouté une soucoupe, deux verres à pied, un petit et un grand, puis encore une assiette en forme de lune pour la salade. Rosie a terminé avec des petits beurriers, des carafes, l'une avec de l'eau et l'autre du vin, le sel et le poivre dans de petites coupelles en verre ressemblant à des cloches, et une cloche, justement, qui servira à l'appeler quand mes parents et leurs invités seront à table et elle, à l'office. Il n'y avait pas de place pour moi car je dînerais avec Rosie dans la cuisine après avoir dit bonsoir aux invités.

Rosie a installé au centre de la table le beau chandelier, avec plein de branches, celui de ma grand-mère, la mère de mon père qui est morte quand j'étais petit. Mes parents me montrent parfois des photos d'elle et me disent qu'elle m'adorait, et je me souviens vaguement d'une dame avec une canne. Rosie m'a dit que, si mes parents voulaient bien, j'aurais le droit d'allumer les bougies. Quand je les ai vus si contents de découvrir la table bien dressée, je leur ai demandé si je pouvais le faire.

– Pourquoi pas, a dit papa, tu ne feras pas ça moins bien qu'un vrai rabbin.

Et, je ne sais pourquoi, tout le monde a ri. Bien sûr, j'ai encore rougi.

Ma mère devait aller se préparer. Elle a demandé à Rosie de me donner mon bain, m'habiller avec mon costume et me servir à dîner. Je voulais savoir quand oncle Lion allait venir. Elle m'a répondu qu'il viendrait me voir dès son arrivée.

La fumée du bain fait de la buée sur les vitres sur lesquelles je peux dessiner. Rosie n'aime pas que je trace des dessins sur le verre, elle rouspète car ensuite il lui faut nettoyer, pourtant mes dessins disparaissent quand on ouvre la fenêtre. L'eau du bain est brûlante, j'ai mis du temps à rentrer dedans. D'abord les doigts de pied, ensuite les chevilles et les mollets. J'ai attendu un petit peu et me suis habitué. J'ai pu m'asseoir. Maintenant ça ne me brûle plus. Je suis bien tranquille avec mes jouets, je chante, je joue à la guerre, les Allemands contre les Français. Mon oncle Berthold a été blessé dans les tranchées. Il m'a dit que les Allemands avaient été injustement déclarés vaincus bien qu'ils aient remporté un plus grand nombre de victoires. Ce jour-là, papa n'était pas content qu'il me parle de la guerre. Il l'a grondé et j'ai eu envie de pleurer. Oncle Berthold a une barbe et les barbus me semblent toujours tristes. Je n'ai pas envie que mon oncle ait du chagrin. Pour le consoler, je le fais gagner dans mon bain.

Mais ce soir ce n'est pas lui qui vient dîner, c'est Lion, mon oncle qui écrit des livres, ceux dont parlaient les mendiants et la voisine.

Maman dit que je ne m'en souviens pas car il ne vient pas souvent à la maison. J'ai hâte de le voir, j'en meurs d'envie !

Lorsque la peau de mes doigts est fripée aux mains et aux pieds, Rosie me sort du bain. Elle me soulève et m'enrobe dans une grande serviette blanche et nous jouons au facteur. Elle prétend que je suis un paquet que le postier lui a déposé devant la porte. Elle l'emmène pour le déballer dans la chambre. Elle me tâte à travers le drap, tentant de deviner ce qu'il contient. Je pousse des cris de joie lorsqu'elle prétend découvrir un petit garçon. Elle dit que c'est le plus beau jour de sa vie, qu'elle n'a jamais eu d'enfant et justement rêvait d'en avoir un comme moi. Elle m'embrasse, nous rions, je frétille.

Elle m'a frotté tout le corps à l'eau de Cologne, jusqu'au bout des orteils, me frictionnant le dos jusqu'à ce que la chaleur pénètre en moi. Elle m'a vêtu de ma chemise blanche qui serre un peu le cou, puis m'a passé ma culotte de peau. Je la trouve trop dure et ses bretelles m'irritent les épaules. Elle m'a enfilé mes souliers de cuir tout neufs, bleu marine, ma couleur préférée. Ils brillent joliment mais me font un peu mal. Je ne voulais pas être habillé en dimanche ! Pour me faire changer d'avis, Rosie m'a assuré que vêtu ainsi j'avais l'air d'un soldat. Elle m'a coiffé avec la brosse en ivoire de défense d'éléphant dont les poils blonds sont si doux, me recommandant de prendre soin de ne pas me décoiffer, et m'a assuré que je ressemblais à l'enfant Jésus. J'ai posé un baiser sur la croix qu'elle cache dans son corsage. J'aimerais me marier avec elle quand je serai grand. Je l'aime Rosie.

Papa nous a rejoints dans ma chambre-buanderie. Il avait sur la tête une calotte, comme un petit chapeau en tissu. Il en possède deux dans sa chambre, la sienne et celle de son père, mon grand-père que je n'ai pas connu. Il ne les porte jamais mais je sais qu'il y tient beaucoup car je n'ai pas le droit de jouer avec. Ma mère a dit que c'était ridicule. Il a répondu que cela amuserait Lion et a posé l'autre calotte sur mes cheveux blonds en me faisant un clin d'œil.

Maman a tiré le voile devant la fenêtre. C'est un rideau magique qui laisse entrer la lumière tout en nous cachant de l'extérieur. Ainsi les voisins ne voient pas chez nous. Et elle est sortie de la pièce.

Pendant que Rosie préparait le repas, j'ai eu le droit d'aller regarder maman se maquiller dans sa chambre. Elle s'est assise sur le petit tabouret bleu avec des froufrous qui frôlent le sol, face à son joli meuble qu'elle appelle psyché, avec trois miroirs qui permettent de se voir de côté, et elle s'est pomponnée. J'adore ces mots aux sons mystérieux, « psyché » et « pomponnée »... Maman m'a pomponné. Elle m'a poudré le nez et les joues avec un petit tampon ; elle le tapotait dans une jolie boîte en verre, fragile, sur sa table, à côté de ses écrins, ses bijoux, son collier de perles de la couleur du ciel gris, ses bagues scintillantes – si grosses que je ne peux les cacher dans ma main quand je ferme le poing – et ses boucles d'oreilles qu'elle m'accroche parfois en me pinçant un peu les lobes. Papa était dans la salle de bains, son visage couvert d'une mousse blanche, l'étalant de son blaireau tout doux en forme de queue d'écureuil. Je suis allé près de lui pour le regarder ôter le savon, faisant glisser dessus son rasoir en ivoire dont la lame est longue comme celle du canif qu'il glisse dans sa poche lorsque nous partons en promenade sur les lacs.

Rosie m'a appelé et je suis allé dîner dans la cuisine où flottaient comme toujours des odeurs délicieuses. Elle m'avait préparé mes saucisses préférées, blanches et bien grillées. Elle les a fait glisser de la poêle dans mon assiette, et je pouvais les entendre grésiller. Elle les a recouvertes de jus et a ajouté les pommes de terre dorées. Oncle Lion était arrivé. Je n'avais pas entendu sonner à la porte. Papa et lui étaient tous les deux devant moi. Ils ont presque la même voix. Ils se ressemblent, comme des jumeaux. Lion est plus petit et porte de grandes lunettes rondes de clown. Il y avait aussi tante Marta, sa femme. Je ne l'avais jamais vue avant. Elle était belle, un chapeau se mêlait à ses cheveux relevés au-dessus de la nuque, ses lèvres étaient rouges, ses dents blanches et ses yeux bruns. Elle m'a fait un clin d'œil et j'ai arrêté de la regarder.

Oncle Lion a ri en disant que j'avais mis le chapeau qu'il fallait pour manger des saucisses. Je n'ai pas compris. Papa avait l'air gêné. Il a expliqué que je portais la calotte en l'honneur d'oncle Lion et parce que c'était shabbat, comme quand ils étaient petits. Oncle Lion a ri très fort et a dit que le temps de leur enfance était une époque folle, et que moi, au moins, je ne portais pas de papillotes. Ils ont ri encore et oncle Lion a expliqué que les papillotes désignaient les mèches de cheveux que l'on fait boucler devant les oreilles. Autrefois, les hommes de religion juive en avaient tous, ils s'habillaient en noir et portaient des caftans, de grands manteaux résistant à tout, au vent, à la neige et à la pluie, ainsi que des calottes. Quand ils étaient enfants, mon père et mes oncles et tantes, qui étaient sept en tout, respectaient les traditions de cette époque. Oncle Lion a dit :

– Heureusement, c'est fini tout ça pour ton papa et moi.

Puis ils sont partis au salon. Rosie m'a servi mon dessert favori, de la crème anglaise, et m'a demandé d'aller me mettre en pyjama, en robe de chambre et en pantoufles pour aller dire bonsoir au salon. Je n'ai pas oublié non plus ma ceinture de soie : je savais que, pour pouvoir rester avec les grandes personnes, il fallait que je sois vêtu comme un vrai gentleman.

Je suis sous la table. Je vois les chaussures d'oncle Lion, blanches et noires comme la fourrure du panda que Rosie m'a montré dans un livre. Elles sentent le cirage. Celles de mon père sont brillantes, les fenêtres s'y reflètent, petites et déformées. Ma mère porte ses jolis souliers à talons hauts qui allongent ses jambes. Celles de tante Marta sont croisées l'une contre l'autre, comme deux personnes qui s'embrassent derrière un mince filet noir ; entre les fils des bas, sa peau blanche apparaît saupoudrée de grains de beauté. De ma cachette, j'écoute ce qu'ils disent. J'entends les mots, je les répète en moi sans les comprendre. J'essaye de les retenir et leur imagine un sens. C'est comme une musique qui me berce, incompréhensible, mystérieuse.

– Ma chère Marta s'est acheté une automobile neuve cette semaine, dit oncle Lion.

Tante Marta chante de sa voix haute comme les petites notes du piano :

– C'est une BMW, une voiture de sport couleur café. Je crois que nous ne sommes que deux ou trois femmes à conduire dans Munich, dont la sœur de votre voisine, Friedl. Tout le monde me regarde quand je passe dans la rue.

– Mais c'est une folie ! dit ma mère.

C'est papa qui répond :

– Voyons, ma chérie, c'est toujours moins onéreux qu'un cheval et une voiture. Nul besoin d'écurie, ni de paille ou de foin. Et encore moins d'un cocher !

La voix de tante Marta couvre la sienne :

– C'est tellement pratique… On va à la campagne ce dimanche. Vous voulez venir, vous voulez qu'on emmène le petit ? Il est tellement chou.

– Ah ! Si vous aviez vu la tête d'Hitler quand il nous a vus nous garer, dit oncle Lion. Il est arrivé en bas de chez lui en même temps que nous chez vous. Il ne nous a pas reconnus, dit oncle Lion.

– Heureusement, mon chéri, avec ce que tu as écrit sur lui dans les journaux, répond tante Marta.

– Et alors, on est encore en république, non ?

C'était la voix de mon oncle…

Maman reprend la parole :

– On dit que son livre, *Mein Kampf*, est celui qui se vend le plus en Allemagne.

– Non, c'est le mien : *Le Juif Süss*[1].

– Tu devrais faire attention, dit mon père. Tout le monde me parle de ton futur roman au bureau. *Succès*[2], c'est ça ?

Oncle Lion ricane :

– C'est vrai que dans ta maison d'édition, chez Duncker & Humblot, on publie plutôt les amis de Herr Hitler…

Je ne comprends pas tout ce qu'ils disent. J'aime pourtant les écouter. Je peux répéter les mots, comme un perroquet. Oncle Lion poursuit :

– On m'a rapporté que ton protégé, Carl Schmitt, n'était pas complètement opposé aux

1. *Jud Süß*.

2. L'ouvrage *Erfolg* a été traduit en anglais sous le titre *Success*. Il n'a pas été publié en France.

théories fumeuses de ces salauds de SA[1]. Ne me dis pas que la maison d'édition de mon petit frère serait en train de virer à l'extrême droite comme les autres ?

– Pas du tout, dit mon père avec un drôle de rire. Je t'assure que Schmitt n'est pas raciste. Nous publions d'autres auteurs, d'ailleurs. Tu devrais lire l'Anglais Keynes, par exemple, même si *Les Conséquences économiques de la paix*[2] font peut-être partie des livres de chevet de notre éminent et néanmoins nauséabond voisin. Je suis très fier d'être son éditeur.

– Je plaisantais, mon cher frère. Je sais bien tout ça. En tout cas, Goebbels a dit que, s'il avait le pouvoir un jour, il me ferait payer tout ça très cher. Ils sont prêts à tout pour anéantir les Juifs. Et qu'importe que toi comme moi ne soyons ni religieux ni même croyants, tout comme nos sept frères et sœurs. Pour eux, un Juif est un Juif, et je devrais même dire une « vermine » est une « vermine », pour employer leur élégant vocabulaire, et, quoique nous ne portions ni calotte ni papillotes, nous ne le sommes pas moins que nos bien-aimés parents. Ils nous détruiront.

1. *Sturmabteilung* : section d'assaut.
2. *The Economic Consequences of the Peace.*

– Tu crois que c'est possible ?

– Hitler est un voyou, un ancien détenu, un comploteur à la tête d'une bande de vauriens. Ils sont prêts à tout. Ils sont comme les barons du Moyen Âge en quête d'un royaume de plus. Ils veulent des châteaux, de l'or et des serfs. Comme eux, ils se serviront des Juifs pour attiser la haine des foules, toujours aussi superstitieuses qu'avant, dit Lion.

– Ça c'est dans ton roman, dit mon père.

– Qui se vend mieux que *Mein Kampf*...

– Les deux additionnés, cela n'augure rien de bon pour nous dans ce pays, dit tante Marta.

– En tout cas, je ne sais pas si ton gredin de voisin va lire mon prochain livre, mais je ne vais pas le rater. Je te cite de mémoire ce que j'ai écrit ce matin même, tu me diras si tu reconnais de qui je parle.

Je me concentre pour écouter. J'entends tout, les mots glissent aussitôt, ils s'enfuient, s'échappent, et je les attrape.

La voix d'oncle Lion est comme une musique, un son que je peux retenir :

– « Lorsqu'il s'exprimait, sa voix partait dans les aigus, de façon presque hystérique, les mots jaillissant sans efforts de sa bouche aux lèvres minces et pâles. Il accompagnait ses discours de grands gestes à la façon des prêcheurs de campagne. Il était facile à comprendre, ses points de vue étaient des sujets de discussion parfaits pour commenter la vie de tous les jours. L'origine du mal était l'usure, les Juifs et le pape. Une association internationale de financiers juifs détruisait le peuple allemand comme l'aurait fait le bacille de la tuberculose sur des poumons sains. Tout irait bien, et chaque chose trouverait sa place une fois les parasites éliminés. Lorsque la machine Kutzner cessa de parler, ses lèvres fines et sa petite moustache noire, ses cheveux grisonnant plaqués sur la tête, presque plats dans la nuque, lui donnèrent l'air d'un masque vide ; mais dès qu'il ouvrit à nouveau la bouche son visage s'anima curieusement avec une vivacité hystérique, son nez se retroussa de bas en haut, et il raviva la vie et l'énergie chez ses compagnons. La nouvelle de l'éloquence de Rupert Kutzner, qui avait trouvé un sens, simple comme du génie à l'état pur, consistant à purifier la vie publique et à la ramener à ses principes les plus basiques, se répandit. De plus en plus de monde vint l'écouter avec attention, et approbation. Un imprimeur publia un journal confidentiel spécialement dédié aux idées de Kutzner. Imprimées, ses idées avaient l'air plus confuses. Mais elles avaient le mérite de rappeler aux lecteurs la vive impression que faisait cet homme chevauchant un tel flot oratoire. De plus en plus de gens vinrent visiter le restaurant ZumGaisgarten. Le tenancier, l'imprimeur, le boxeur et deux chauffeurs fondèrent un parti politique, les Vrais Allemands, qui maintenant ne parlait plus de lui comme d'une machine, mais comme d'un écrivain politique… » Alors ?

– Eh bien, dit mon père, tu n'y vas pas de main morte !

– Quand je pense qu'autrefois, avant qu'on l'envoie en prison, ton voisin me donnait du *Herr Doctor* au Hofgarten Café de Munich où nous allions si souvent avec Bertolt Brecht, dit oncle Lion. Je me demande ce qu'en dirait le Dr Freud. D'ailleurs je l'ai glissé dans mon roman, ça l'amusera. Sinon, je vous ai apporté le livret de l'opéra que Bertolt vient d'écrire : *L'Opéra de quat'sous*. C'est moi qui ai trouvé son titre ! Bien, non ? Il était venu me rendre visite à l'hôpital, après mon opération, et je l'ai sauvé en lui épargnant les mauvais titres auxquels il pensait. Ça fait salle comble au Theater am Schiffbauerdamm de Berlin.

La conversation fait comme un ronronnement. Oncle Lion et le voisin d'en face, M. Hitler, se sont disputés, je crois. Je n'écoute plus. Les mots et les noms se mélangent, toujours les mêmes : « Juif », « guerre », « Hitler ».

Moi, j'ai juste envie de voir la nouvelle voiture de tante Marta, qui est plus belle que celle de M. Hitler. Je voudrais me boucher les oreilles, maintenant. Je les entends au-dessus de la table, ils parlent encore des mêmes choses. Oncle Lion fait des blagues. Papa ne rit plus. Sa voix est fatiguée.

Je suis sorti de ma cachette et me suis assis sur le canapé. J'avais envie de dormir. Je me suis retenu. Après le repas, ma mère a joué au piano le livret qu'avait apporté oncle Lion. Elle a fredonné un peu en lisant la partition. C'était l'histoire de gens très pauvres, comme ceux qui étaient venus taper à la porte l'autre jour. Mon père, oncle Lion et tante Marta se sont mis autour d'elle. Je me suis approché. Oncle Lion avait l'air triste. Mon père a dit qu'il fallait que j'aille au lit. C'est lui qui m'a emmené et, pendant qu'il me faisait un câlin, j'ai continué d'écouter la voix de maman et les notes de piano. La chanson parlait de l'Angleterre. L'Angleterre est une île, m'a expliqué papa. J'ai imaginé un pays flottant sur la mer et me suis endormi.

*

* *

Mon père n'est pas allé au bureau ce matin. Il a enfilé sa robe de chambre par-dessus ses vêtements, celle qu'il porte lorsqu'il corrige des manuscrits à la maison. Pourtant, là il ne travaille pas : ma mère lui a demandé de rester pour s'occuper de moi car avec Rosie elle doit veiller sur Tante Bobbie qui est malade depuis quelques jours. Tante Bobbie n'est pas ma vraie tante, c'est notre voisine du dessus, et la propriétaire de l'immeuble, hérité de ses parents. Elle habite ici depuis qu'elle est petite, comme moi, et comme maman. Enfants, elles jouaient ensemble, et leurs parents étaient déjà amis. Tante Bobbie loue des chambres à des pensionnaires : quand ils arrivent, elle me les présente, et ils viennent me dire au revoir en s'en allant. Avec Rosie, nous prions le petit Jésus pour qu'elle ne meure pas. Je prie pour que son cœur continue de battre car je sais que c'est ainsi que l'on vit. Au cas où ma prière ne serait pas exaucée, je prie pour que Tante Bobbie monte au ciel et qu'elle y soit heureuse avec ses parents qu'elle adorait. Elle ira au paradis où nous nous retrouverons tous un jour. Je ne veux pas que mes parents meurent. Et moi, je voudrais ne jamais mourir. J'y pense souvent le soir dans mon lit. C'est impossible, je le sais. Mais, peut-être, moi…

Tante Bobbie va mieux. Sa sœur Friedl vient lui rendre visite tous les jours, et ce matin elle a proposé un pique-nique à la campagne pour y fêter son rétablissement. Ma mère a trouvé l'idée très bonne : j'étais pâle et le bon air me ferait du bien ! Ça l'ennuyait de laisser Tante Bobbie seule à la maison, aussi a-t-elle proposé de rester avec elle. Mon père a dit qu'il avait trop de travail, qu'il devait relire des manuscrits, corriger des livres, mais quand il a vu qu'elle allait s'énerver il a accepté la promenade. Elle a annoncé qu'elle allait préparer elle-même le pique-nique pendant que Rosie m'habillait pour la campagne et qu'il se préparait. Friedl m'a fait un clin d'œil. Elle sait que j'adore sa voiture. Quand elle vient voir Tante Bobbie, elle se gare en bas de la maison et fait sonner son Klaxon pour que je puisse la voir depuis la fenêtre. Elle m'a dit que sa fille viendrait, j'ai essayé de ne pas rougir. Je me demande souvent si on peut entendre ce que je pense. J'espère que non, je crois que non, sinon, j'entendrais ce que les autres imaginent. J'aimerais avoir ce don, pouvoir lire dans les pensées des autres, voir ce qu'ils voient, mais, surtout, je ne voudrais pas que l'on sache que je trouve la fille de Friedl très jolie. Elle s'appelle Arabella, elle a cinq ans, comme moi, les yeux verts et les cheveux blonds. Son nez est tout fin, elle a tout le temps l'air sage, et quand elle sourit je sais que je rougis.

La capote est ouverte. Je suis à l'arrière avec Arabella. C'est Friedl qui conduit. Mon père est devant, il porte un costume blanc, un gilet blanc, une chemise blanche et un chapeau blanc qu'il maintient de la main pour qu'il ne s'envole pas. Ça sent bon le cuir bien chaud, je me suis un peu brûlé les cuisses en m'asseyant sur le siège chauffé par le soleil. Arabella a baissé l'accoudoir entre nous deux. Le ciel est bleu, strié de fines rayures blanches ressemblant à des traînées de coton. L'automobile fait un joli bruit et sautille sur la route. Il y a des trous et des bosses et un nuage de poussière s'élève derrière nous. Friedl klaxonne en doublant les vélos, les charrettes, les paysans qui poussent des carrioles pleines de fruits et de légumes. Je sors le bras et je tends la main comme une aile d'avion, elle monte et descend. J'imagine que je vole.

Nous avons joué à « pierre, feuille, ciseaux », à « ni oui ni non », aux charades, nous avons chanté en observant le paysage, et je me suis endormi. Au réveil, nous étions sur les bords du lac de Starnberg, garés devant une croix. Mon père nous a fait descendre de la voiture et, avant que nous ayons le droit d'aller jouer, nous a donné une leçon d'histoire. L'histoire, ce n'est pas comme les histoires, c'est ce qui est vrai et qui a eu lieu il y a longtemps. Les histoires, c'est le contraire : tout est inventé. Il nous a montré la croix et, juste derrière, une petite église. Il nous a expliqué que la croix et la chapelle avaient été bâties en mémoire du roi Ludwig II – Louis II – mort ici, face au château de l'impératrice Sissi que l'on aperçoit de l'autre côté du lac. Arabella lui a demandé si c'était au temps des chevaliers. Mon père a répondu que ce n'était pas si ancien puisqu'il était déjà né. Il nous a parlé de lui, nous a raconté qu'il s'appelait Ludwig comme lui, ce qui m'a fait sourire, et qu'on le surnommait « le Roi fou », et là nous avons eu un fou rire Arabella et moi. Il nous a décrit combien le roi était romantique, mimant le sens de ce mot à genoux devant Friedl, s'animant de grands gestes comiques comme s'il était le Roi fou et Friedl la princesse qui ne l'aimait pas. À l'aide d'un bâton ramassé par terre, il a prétendu se planter un poignard dans le cœur, se laissant tomber sur le côté. Avec Arabella, nous avons couru sur lui en riant, tapant sur son ventre pour le ranimer. Papa nous a raconté comment Louis II pensait que coulait en lui un sang spécial, très pur. D'un air sérieux, il a ajouté que c'étaient des bêtises, et que tout le monde avait le même sang. Friedl a dit que seule la couleur de l'âme comptait. Il y a celles que l'on dit sombres, et les autres, belles, pures et nobles, les âmes de prince, comme la mienne – ou bien de princesse, comme celle d'Arabella. Puis papa nous a décrit comment le Roi fou avait fait bâtir un château de conte de fées, avec des tours pointues si hautes qu'elles traversent les nuages. Nous irons le visiter cet été, lorsque nous serons en vacances chez oncle Heinrich, le frère de ma mère, celui qui possède une maison de l'autre côté du lac, en face de la forteresse du Roi fou.

Friedl a sorti les victuailles du coffre de la voiture. Elle a ouvert une valise en osier contenant une vaisselle de porcelaine. C'était magnifique. J'aurais voulu qu'elle ne détache pas les assiettes, les verres, les serviettes, le pain, le saucisson, le jambon. Tout était sanglé proprement. On aurait dit une dînette de poupée. Nous avons tout disposé sur une nappe de couleur. Mon père avait planté un parasol blanc comme son costume. Maman et Rosie avaient emballé un véritable festin que Friedl et papa ont étalé devant nous : œufs durs, poulet froid, mayonnaise, saucisses, salade de pommes de terre… nous avons tout dévoré.

Pour le dessert, Friedl nous a préparé des pêches coupées en morceaux et saupoudrées de sucre. Nous devions utiliser nos fourchettes mais je n'arrivais pas à saisir les derniers grains de sucre devenus roses. J'ai eu le droit de les faire fondre sur ma langue. Friedl craignait que je tache les serviettes en dentelle blanche, elle m'a débarbouillé le visage avec de l'eau du lac. Après le repas, nous avons enfilé nos maillots de bain de laine et nous sommes allés nous amuser sur les berges, ne trempant que nos pieds, nos mains et nos visages, Arabella et moi ne sachant pas nager. Nous avons fait des ricochets avec des galets. Je peinais à bien faire rebondir les pierres sur la surface, elles disparaissaient les unes après les autres sans une vaguelette. Celles de mon père, elles, semblaient pouvoir rebondir à l'infini. On aurait dit des sauterelles aquatiques. Des voiliers glissaient à l'horizon, leurs voiles pointues gonflées ressemblant au cou des cygnes du parc, et je me suis endormi la main d'Arabella dans la mienne. À notre réveil, tout était rangé. Nous avons dit au revoir au lac, nous sommes montés dans la voiture et sommes repartis. Les arbres sombres cachaient le ciel mauve. J'ai senti le cahot de la chaussée, le bruit de la portière qui s'ouvrait, les bras de papa qui me portaient, les lèvres de maman sur mes joues, mes vêtement qui glissaient, le pyjama frais, les draps froids, et je me suis endormi.

*
* *

Ce matin il pleut et ma chambre est triste. Les murs ont la couleur du ciel gris. Des gouttes glissent sur les vitres. Je regarde les plus rapides. Elles coulent le long de celles qui restent à leur place, se font un petit chemin, sans se mélanger, s'allongent puis se font petites, bombées comme des coccinelles. On dirait qu'elles vivent. Le nez collé à la fenêtre, je les regarde jouer entre elles. Derrière, au loin dehors, je viens de voir Hitler sortir de chez lui. Un homme lui a tendu un parapluie, il est monté dans une voiture noire et ils sont partis.

*
* *

Arabella ne vient plus à la maison. Elle me manque.

Tante Bobbie est guérie. Son ami *der Herzog*, Luitpold de Bavière, est venu nous le dire. Il est dans le bureau de mon père. Je les espionne. Ils me font rire tous les deux. Ils se parlent sérieusement face à face, balançant de haut en bas, se hissant sur la pointe des pieds puis sur les talons, comme des marionnettes. Le duc fait une grimace pour que son monocle ne tombe pas. Ils prennent des livres dans la bibliothèque, les ouvrent, les feuillettent et, parfois sans rien dire, les remettent à leur place. Mon père est monté sur la dernière marche de son escabeau pour attraper un gros livre rangé trop haut. Ma mère a apporté le café, et je suis sorti de ma cachette pour demander un canard. Ils ont parlé de Friedl et de son mari. J'ai vu que le duc ne l'appréciait pas. Il a dit que c'était un admirateur d'Hitler, notre voisin. Ils n'ont rien ajouté. Je n'aime pas que l'on dise du mal de Friedl. J'aimerais voir Arabella, je me demande si nous pourrions nous marier un jour, elle et moi, ou si nous en serons empêchés car je suis juif et pas elle. Je pense que c'est possible, mon père a eu une autre femme avant ma mère, elle n'était pas juive, ils ont eu un enfant ensemble, Dorle, ma sœur adorée, elle a douze ans et vient parfois habiter à la maison.

*
* *

Il fait de plus en plus chaud. Les journées sont longues. Elles s'étirent, comme moi qui grandis. C'est bientôt l'été. Je suis pressé de partir en vacances chez oncle Heinrich, où j'espère que nous pourrons visiter le château du Roi fou. Depuis le début de la semaine, Rosie prépare les valises. Elle lave le linge dans de grandes bassines en fer enveloppées de nuages de vapeur. Elle frotte, brosse, rince, brasse, les manches retroussées, le visage tout rouge. Ça sent bon le savon. Elle tord le linge puis l'étend sur des fils et la buanderie devient un labyrinthe. J'aime y jouer au fantôme et elle me gronde. Elle crie que je vais salir le linge avec mes doigts quand je joue à la guerre entre les fils. Je m'en fiche, je suis un soldat, un éclaireur, je rampe en silence, je suis un aviateur, je m'envole à bord d'un biplan à mitrailleuses, et pendant ce temps Rosie repasse les draps, les chemises, les caleçons longs, les chemises de nuit, les robes de toutes les couleurs, et toutes mes petites affaires, sur une grande table de bois recouverte d'un molleton. Je n'ai pas le droit de m'approcher du fer brûlant qu'elle manie rapidement. Il est pointu et aujourd'hui quand il avance sur le tissu, il ressemble à un bateau glissant sur un lac, les vagues disparaissant derrière lui. Rosie plie le linge et le dispose en piles qu'elle sépare et range, une partie dans les tiroirs de la commode de ma chambre, une autre dans les valises et les malles qui dans le couloir attendent côte à côte, en rang comme des militaires. Maman vérifie, fouille, défait les tas, les refait, déplie et replie, hésite, choisit, change d'avis. Et le soir, quand papa rentre du travail, elle lui en parle encore et lui demande ce qu'il en pense. J'ai l'impression qu'il lui répond sans l'entendre. Comme quand je dors et que maman ou Rosie me parlent : j'entends leur voix mais je continue de rêver.

*
* *

Ce matin, j'ai vu mon oncle Heinrich se garer sous ma fenêtre. La portière s'est ouverte, il est sorti et a allumé une cigarette en observant l'immeuble d'en face. En haut, chez Hitler, c'était éclairé. Il faisait pourtant déjà jour. Je voyais une ombre bouger derrière les rideaux gris. Je me suis demandé si Hitler me voyait et s'il savait que je partais en vacances. La sonnette de la porte m'a fait sursauter, et oncle Heinrich était là. J'ai couru l'embrasser. Tout le monde était de bonne humeur. Nous avons descendu les valises et nous les avons ficelées sur le toit. Rosie, qui ne partait pas en vacances avec nous, m'a embrassé et serré dans ses bras si fort que je ne pouvais plus respirer. Tout le monde a ri de moi, et moi, comme d'habitude, j'ai rougi. Et nous sommes partis.

Nous voilà dans la voiture d'oncle Heinrich. Mon père plaisante, pose plein de questions sur l'automobile. Oncle Heinrich a l'air fier et heureux. Il dit qu'elle roule bien et qu'il ne sera pas long de parcourir les 120 kilomètres qui nous séparent de sa maison, peut-être six heures. Maman semble trouver que c'est beaucoup. Moi je suis bien.

Nous sommes sur la route depuis deux heures. Oncle Heinrich raconte que Richard Strauss, le compositeur pour qui il travaille, écrit un opéra qui s'appellera *Arabella*. Je sais qui est Richard Strauss. Maman me chante un morceau, *Salomé*. Je le connais. Un soir, elle m'a fait la Danse des sept voiles, déguisée en princesse, avant de s'en aller avec papa à un bal masqué. Elle m'a promis que lorsque je serai grand nous irons voir la pièce à l'Opéra, à côté de chez Hitler. Tout le monde fume dans la voiture et ça me donne mal au cœur. Oncle Heinrich raconte que Richard Strauss adore l'argent et possède un petit palais dans la montagne, à Garmisch, dans les Alpes, face au Zugspitze.

– Ce vieux fou est infatigable, dit oncle Heinrich. Quand il ne compose pas, au milieu de sa famille qui va et vient, des musiciens qu'il reçoit dans son immense villa, pour qui il chante et joue du piano, il adore diriger les opéras des autres, *Così fan tutte* de Mozart, *Tristan* de Wagner. Il est comme un métronome, increvable, la main droite en l'air, baguette tendue, l'autre dans la poche. Je n'ai jamais vu ça. À soixante-cinq ans, il est plus vert que ses chanteurs. Il patine parfois quand les lacs sont gelés. Il a l'air austère comme ça : il faut le voir jouer au skat ! Prêt à tout perdre !

Maman m'explique que c'est un jeu de cartes.

– Et quels sont ses sentiments politiques ? demande mon père.

– Il n'est pas nazi, en tout cas, répond oncle Heinrich. Son fils Franz vient d'ailleurs d'épouser la ravissante Alice Grab, qui est comme nous, mon cher beau-frère, une noble descendante d'Abraham. Elle est la fille d'Emanuel von Grab, un industriel tchèque et un vieil ami.

– Juifs, nazis… parlez d'autre chose à la fin ! s'énerve maman. Vous allez effrayer Edgar.

Je m'endors. Je n'ai pas peur. Dans mon rêve, je suis le Baron rouge. Je suis Manfred von Richthofen. Je suis un as de l'aviation. Je pilote un Fokker Dr.I à trois ailes. Mon avion est rouge avec une grande croix allemande peinte sur la queue. J'ai déjà abattu quatre-vingts avions ennemis. J'attaque les Français, je pourchasse les Anglais et chasse les Canadiens et les Américains. Je mitraille. Ils s'écrasent en piqué. Mes ennemis sautent en parachute. Je poursuis à travers les nuages l'as anglais Arthur Roy Brown. À chaque victoire je dessine une croix sur le cockpit. Je porte un casque de cuir et de grandes lunettes. Je m'envole au-dessus des Alpes et de la maison de Richard Strauss. Une petite fille interprète pour moi la Danse des sept voiles. Elle chante. Je sens son parfum, celui qui est bleu, j'entends un Klaxon, je ne sais plus si je rêve.

Je me suis réveillé dans une grande chambre tout en bois. Je me suis levé et j'ai ouvert les rideaux. Il y avait un grand lac tout gris. Le ciel aussi était gris, avec un peu de rose à l'horizon mélangé au bleu du lac. Au loin, dans la montagne, j'ai vu un château avec des tours qui disparaissaient dans les nuages. C'était le château du Roi fou. J'ai compris que nous étions arrivés dans la nuit chez oncle Heinrich. J'ai ouvert la porte de ma chambre et je suis descendu. Oncle Heinrich était dans le grand salon, habillé d'une robe de chambre de soie, avec une chemise rayée et un beau foulard. On entendait de la musique. Et j'ai vu le gramophone. C'est un appareil avec une sorte de trompette, ou plutôt comme un grand coquillage, d'où sort la musique. Sur la plate-forme tournait un disque tout noir. C'était encore *La Danse des sept voiles*. Je l'ai reconnu tout de suite et oncle Heinrich a dit que j'avais l'oreille musicale. Papa et maman sont arrivés. J'ai couru pour les embrasser. Oncle Heinrich a répété que j'avais un don pour la musique et j'ai vu que ça leur faisait plaisir. Moi, je préférerais être un as de l'aviation.

Cela fait longtemps que nous sommes en vacances. J'ai envie de rester ici toute ma vie. C'est mieux que Munich. Dans le grand salon, nous faisons des parties de jeu de l'oie. Dans le jardin, nous jouons au croquet, nous tapons avec des maillets sur des boules en bois colorées qui roulent sous des arceaux dans l'herbe douce. Nous cherchons des trèfles à quatre feuilles. Un après-midi, ma mère a lu dans les lignes de ma main que je vivrai jusqu'à cent ans au moins. On sera en 2024. Tous les jours nous nous baignons dans le lac, sauf moi car je ne sais pas encore nager. Je crains de me noyer, comme le Roi fou. Je reste à jouer sur le bord avec mes petits bateaux, maman me surveille puis nous remontons déjeuner à la maison. L'après-midi, je dois faire la sieste. Je n'ai pas sommeil, je réfléchis, je regarde les objets de la chambre, me demande s'ils me voient, puis je m'endors. Mon père et oncle Heinrich travaillent la semaine à Munich et nous rejoignent le vendredi. Ils parlent sans cesse des nazis et de notre voisin Hitler et moi j'en ai assez, ce n'est pas amusant, et maman est bien d'accord avec moi !

Aujourd'hui, nous allons visiter le château du Roi fou. Pourvu que l'on y soit rapidement ! Je me demande s'il y aura un pont-levis, des armes oubliées dans les buissons, des flèches perdues, lâchées par des arbalètes depuis les donjons, des trésors, ou des squelettes de prisonniers, l'entrée d'un passage secret que l'on pourra retrouver en cherchant bien. Nous n'avons pas pu entrer dans le château. À la place, nous avons pique-niqué au bord du lac. Pour éviter que les guêpes me piquent, mes parents ont étalé de la confiture de fraises dans de petites assiettes éparpillées autour de nous. Elles nous ont laissés tranquilles, dégustant leur petit repas. Puis nous avons joué à chat perché et à colin-maillard. Nous avons bu de la citronnade. Et nous sommes partis.

Il faisait encore bon. Dans le ciel, on voyait le soleil et la lune à la fois. La lumière tombait. On roulait vite. Maman a fermé la fenêtre pour empêcher les moucherons d'entrer. Et puis la voiture s'est arrêtée d'un coup. Nous étions enlisés. Mon père est parti chercher du secours. Pendant ce temps, j'ai prié. Je voulais que nous restions bloqués longtemps, que nous soyons contraints de demeurer au château de Louis II. Papa est revenu avec trois paysans. Ils parlaient avec un drôle d'accent, je ne comprenais pas tout. Ils ont entouré la voiture et l'ont soulevée à la force de leurs bras. J'avais eu le droit de rester à bord, l'auto balançait à la façon d'un bateau. Au retour, j'ai dormi la tête posée sur les genoux de maman, bercé par le bourdonnement des voix adultes. Je ne me souviens pas de notre arrivée chez oncle Heinrich. Je me suis réveillé dans mon lit. C'était déjà le matin.

Depuis hier, il pleut et on ne peut plus aller se baigner au bord du lac. C'est la fin de l'été, m'a dit maman. La villa est triste. Elle est trop grande, froide. Je m'ennuie. Je n'ai pas d'amis avec qui jouer, j'ai laissé mes petites voitures à la maison à Munich, et j'ai envie de revoir Rosie. Je désire rentrer, retrouver ma chambre et mes jouets. Je me demande si notre voisin sera rentré de vacances lui aussi. J'espère que non. J'aimerais qu'il habite ailleurs, qu'il disparaisse. Qu'on l'enferme dans le château du Roi fou. Ou qu'il se noie, comme Louis II, dans le grand lac d'oncle Heinrich.

*
* *

C'était il y a longtemps, les vacances. Maintenant je suis grand. Quand nous sommes revenus, Rosie avait les yeux rouges et brillants. J'ai cru qu'elle allait pleurer. Je lui ai dit de ne pas être triste, et elle m'a répondu qu'elle avait les larmes aux yeux parce qu'elle était heureuse de me retrouver. J'étais ému.

Le lendemain, j'ai vu que Herr Hitler était là. Il était rentré lui aussi. Est-il parti en vacances avec sa famille ? Ont-ils piqueniqué ?

Le téléphone n'a pas cessé de sonner dans la journée. Papa est rentré tôt du bureau, un tas de journaux sous le bras. Oncle Heinrich est passé à la maison. Il avait l'air préoccupé. Je n'ai pas osé aller le saluer tant il semblait triste. Le soir, après mon bain et mon dîner, papa m'a expliqué qu'oncle Heinrich avait perdu presque tout son argent, et qu'il allait devoir vendre la villa du lac. J'ai pensé aux baignades, au gramophone, au jeu de croquet, au château du Roi fou, aux trèfles à quatre feuilles et à ma chambre en bois. Je lui ai demandé si c'était à cause du « Jeudi noir », dont j'avais entendu oncle Heinrich parler. Il a souri et m'a répondu :

– Oui, le Jeudi noir est le nom que l'on a donné à la journée d'hier car c'est comme un jour de deuil pour les gens qui ont perdu toutes leurs économies, et parfois leur maison.

J'ai demandé si nous étions ruinés. Il m'a embrassé en riant : la richesse de mes parents c'est leur petit garçon et personne ne pourra jamais la leur enlever.

1930

> *La déesse de la Nécessité me prit dans ses bras et menaça souvent de me briser : ma volonté grandit ainsi avec l'obstacle et finalement triompha.*
>
> *Je remercie cette époque de m'avoir rendu dur et capable d'être dur.*
>
> *Plus encore, je lui suis reconnaissant de m'avoir détaché du néant de la vie facile, d'avoir extrait d'un nid délicat l'enfant trop choyé, de lui avoir donné le souci pour nouvelle mère, de l'avoir jeté malgré lui dans le monde de la misère et de l'indigence et de lui avoir ainsi fait connaître ceux pour lesquels il devait plus tard combattre.*
>
> Adolf HITLER, *Mein Kampf*, au sujet de ses difficultés de jeune artiste à Vienne

Depuis ce matin des flocons dansent dans le ciel. On ne voit pas l'immeuble en face. Le

Père Noël est passé il y a quelques jours. Je ne l'ai pas vu. Il a dû arriver sur son traîneau. Il m'a laissé encore plein de jouets, mais je m'ennuie car je suis seul. J'aimerais avoir un vrai frère ou une vraie sœur tous les jours à la maison. Dorle, ma sœur, est venue à Noël. Avec sa mère, elles ont fait le trajet en train depuis Berlin. De ma fenêtre, je les ai vues descendre d'un taxi, les bras chargés de valises et de cadeaux. J'ai pensé qu'ils étaient pour moi. Bizarrement, quand elles sont arrivées à notre étage, ils avaient disparu ! J'ai essayé de ne pas le montrer, mais j'étais déçu. Heureusement, le lendemain, nous avons tous eu de nombreux présents sous le sapin, et certains paquets ressemblaient drôlement à ceux que j'avais vus la veille dans les mains de Dorle et sa mère.

La mère de Dorle s'appelle Lilly. Moi, je dis Tante Lilly. Avec ma mère, elles s'amusent à taquiner papa. Elles disent qu'il est paresseux, étourdi et ne sait pas s'habiller. Ça le fait rire. Et moi aussi. Nous avons déjeuné ensemble, Tante Lilly est partie et Dorle a défait ses valises dans ma chambre. J'adore quand elle habite chez nous. J'observe tout. Elle a un sac empli de livres sans images et de magazines. Elle lit le *Berliner Illustrierte Zeitung*, que mon père conserve soigneusement dans son bureau.

Je le regarde avec elle et lui pose des questions. Je n'ai pas le droit de toucher les pages, pour ne pas les salir ou les déchirer, et c'est elle qui les tourne. Elle connaît toutes les actrices de cinéma. Marlene Dietrich est la plus belle. Dorle se déguise comme elle parfois : elle met du rouge à lèvres, un chapeau de mon père, une petite veste, et pas de pantalon. Juste des bas. Elle chante : *Ich bin von Kopf bis Fuß auf Liebe eingestellt*[1].

Dorle m'a lu un article sur le Vampire de Düsseldorf, un criminel qui le soir tue les enfants de cette ville. Il leur propose des bonbons, les emmène avec lui, et l'on retrouve plus tard leur cadavre caché dans un coin. Il a tué des dizaines d'enfants. Il les a poignardés, étranglés, et la police ne parvient pas à l'arrêter. On ne sait pas qui il est. Les habitants de Düsseldorf soupçonnent tous leur voisin et ne laissent plus leurs enfants dehors. À Munich, on recommande de garder les petits sous surveillance. Maman a grondé Dorle, elle m'a dit de ne pas croire ces histoires. Je sais pourtant que les journaux disent la vérité et que Dorle ne me ment jamais. Depuis, j'ai peur que le Vampire de Düsseldorf vienne à Munich.

1. « Je suis de la tête aux pieds faite pour l'amour. »

Dorle m'a montré des photos de mendiants et je n'ai pas reconnu ceux qui étaient venus chez nous. Dorle m'a dit qu'il y en avait encore plus à Berlin, surtout depuis le Jeudi noir. Sur une page, j'ai reconnu le voisin, Adolf Hitler. J'ai montré à Dorle son immeuble par la fenêtre.

Toute la semaine, Dorle m'a fait la lecture des magazines. Elle m'a dit qu'elle aimerait être actrice et vivre en Amérique, à Hollywood. Elle m'a parlé de ses films préférés. Quand elle était petite comme moi, son acteur favori était Charlot. Elle m'a montré une photo. J'ai trouvé qu'il ressemblait à Hitler. Ils ont la même petite moustache. Sur la photo, Charlot était déguisé en mendiant. On le voyait assis avec un enfant de mon âge. Dorle m'a dit qu'à Hollywood on pouvait être acteur dès l'âge de cinq ans, et que l'enfant acteur, Jackie Coogan, était devenu plus riche que ses parents à sept ans. J'aurai bientôt sept ans moi aussi. Puis elle m'a montré *Micky Maus*, une bande dessinée. C'est une souris noire et blanche qui se promène dans la rue et va au cinéma. Dans le livre, tout est en couleurs, sauf Micky, comme si le dessinateur avait oublié de le peindre. J'ai demandé à ma mère qu'elle m'emmène au cinéma. Je veux voir

Charlot. Je veux voir des dessins animés. Je veux voir Micky. Elle m'a promis que nous irions bientôt.

*
* *

Ce matin en allant nous promener nous sommes passés devant chez lui. Dorle a voulu lire son nom sur la porte, « Adolf Hitler ». Le garde l'a regardée fixement, Rosie l'a prise par la main et a pressé le pas. Plus loin, elle a chuchoté à Dorle qu'elle n'aurait pas dû regarder. Ma sœur lui a répondu sèchement que ce n'était pas interdit et a ajouté :

– De toute façon, ce n'est pas son nom qui est écrit sur la porte. Il est écrit « Winter », et non pas « Hitler » !

Pour la première fois je voyais un enfant répondre à un adulte. Rosie n'a rien dit. Il faisait froid, la neige continuait de tomber. Les passants marchaient doucement pour ne pas glisser. Le garde nous observait. Rosie s'est retournée et nous avons repris notre marche.

Nous allions retrouver mon père au café Fürstenhof. Nous avons attendu le tram de l'autre côté de la rue, sous les yeux de l'homme en bas de chez Hitler. J'ai été soulagé d'entendre le son des roues sur les rails de métal serpentant le long de la voie pavée. Le conducteur agitait sa cloche. Nous nous sommes reculés pour laisser descendre les passagers et nous sommes montés. Tout le monde fumait dans le wagon, nous nous sommes serrés, Dorle a voulu s'asseoir sur l'un des bancs de bois. L'air sévère, Rosie lui a demandé de laisser la place aux grandes personnes. Nous sommes descendus juste en face du café. C'est une salle gigantesque où je crains toujours de me faire piétiner. Les serveurs passent en courant avec des plateaux chargés de pintes de bière qu'ils portent au-dessus de la tête. Mon père était assis au fond, avec son frère ancien combattant, mon oncle soldat : Berthold. Il a dit à Rosie qu'elle pouvait aller faire un tour et nous a commandé notre goûter préféré. Nous prenons toujours le même, Dorle et moi. Une glace au chocolat, recouverte de chantilly et de chocolat fondu. Dorle a tout de suite raconté qu'Hitler avait mis un faux nom sur sa porte. Mais papa le savait déjà. Les deux frères ont entamé une discussion.

– Oui, oui, je sais, a dit mon père. C'est le nom de sa femme de ménage. Il a peur qu'on vienne l'embêter. C'est un poltron.

– Luidgie, tu sais très bien qu'il a fait les tranchées, comme moi. Pourquoi aurait-il peur de son ombre ? Il ne veut pas être embêté par toutes ces femmes qui lui courent après, c'est tout.

– Ah, oui ! Les tranchées ! Il gémit dessus tout au long de son assommant pavé, *Mein Kampf*. Il geint. Il se lamente. Il crie. Il hurle. On l'imagine écrivant son livre en se roulant par terre comme un sale gosse. Il en veut à la Terre entière, oui ! Aux Français, aux généraux, à son caporal, aux Juifs, aux rats… D'ailleurs, il ne fait pas de différence entre ces deux dernières espèces – car oui, selon lui, ceux qui pratiquent la religion juive ne sont rien d'autre qu'une espèce à part. Une sous-race, dit-il. Un peu comme de la « vermine », pour reprendre une de ses expressions d'écrivain. Charmant, n'est-ce pas ? Et que fait-on à la vermine ? Je te laisse deviner.

– Oui, Hitler est un salaud. Mais tu sais, le monde est bouleversé. Que va-t-il se passer pour nous ? Qu'allons-nous devenir ? Quel est l'avenir de l'Allemagne ? Il faut bien faire quelque chose !

– Mais Hitler, tu te rends compte ? a repris mon père. Il hait les Juifs et la Terre entière, comme tous ses camarades. Il est dérangé, aigri, paranoïaque, violent et, surtout, dangereux. Tu sais que Lion publie dans quelques jours un livre sur lui ? *Succès*, qui raconte l'ascension d'un misérable dans son genre. C'est très drôle.

Il le décrit comme une sorte d'hystérique qui vitupère à tout-va. Dans son dernier livre, *Le Juif Süss*, Lion avait déjà raconté comment dans le passé d'autres arrivistes avaient conduit la foule à massacrer nos ancêtres dans notre pays. Ce livre est le seul qui batte à plate couture *Mein Kampf*. *Succès* devrait faire encore plus de bruit en le caricaturant directement. Lion espère faire comprendre aux lecteurs d'Hitler à quel point ce peintre frustré est un usurpateur, et, surtout, un dangereux personnage qui nous ramène des siècles en arrière.

– Mais Lion a trop d'imagination. Nous ne sommes plus au Moyen Âge, tout de même. Les gens voyagent. On est en une nuit à Rome ou à Paris. Même Hitler n'est pas né dans une caverne. Il admire Wagner et a lu les grands philosophes. Je croyais d'ailleurs que tu l'avais connu dans ta jeunesse…

– Connu ? C'est un grand mot. Il traînait par là. On le croisait. Mais sans se parler. C'est lui qui est venu saluer Lion et Bertold Brecht, un jour, au Café Stefanie. C'était avant ses grands délires, avant qu'il tente son putsch de 1924. Le seul bon côté de cette affaire de putsch, d'ailleurs, c'est qu'il y a perdu seize de ses sbires et qu'il a été condamné à cinq ans de prison. Quand je pense qu'on l'a laissé sortir sur parole au bout de neuf mois seulement, quelle erreur ! Comme si ce genre de personnage pouvait avoir une parole. Sais-tu qu'il s'était engagé à ne plus faire de politique ? Si la sentence avait été convenablement appliquée, il ne serait sorti de prison que l'année dernière. Il aurait suffi d'appliquer la loi, et nous serions débarrassés de lui et de son parti. Maintenant, il a compris comment faire. Il ne s'expose plus lui-même. Il reste à la limite de la légalité, caché derrière les rideaux de son appartement. Il a d'ailleurs pris l'apparence de ses nouvelles cibles, les petits-bourgeois, qui craignent tant de tout perdre et de se retrouver à la rue. Il ressemble à un bourgeois comme un autre. Il me ressemble. Il ressemble à nous tous. Il habite le même quartier, porte le même costume et écoute la même musique. Mais ça n'est qu'une apparence, un déguisement. Dans l'ombre, ses lieutenants n'ont changé ni leurs méthodes, ni leurs objectifs. Hitler est notre voisin mais il est un homme dangereux. Sais-tu qu'il se fait appeler « le Roi de Munich » maintenant ?

Le garçon est arrivé, un vieil homme dont la moustache blanche courait sur tout le visage, parcourant les deux joues et se rejoignant sous le nez. D'une main il tenait haut le plateau où je voyais osciller ma glace au verre givré. Mon père s'est interrompu pour le laisser dresser notre table. Il a installé des assiettes, des couverts, des serviettes, il a déposé sur une soucoupe les desserts attendus et deux chopes pleines pour papa et son frère. Mon père a glissé un sou sur le plateau rempli d'autres desserts, de pintes de bière mousseuse et de cendriers sales, le garçon les a emportés, dodelinant de la tête pour remercier. Mon oncle a repris la discussion.

– De toute façon, le parti d'Hitler n'est plus rien du tout. Ils vont se faire étriper aux élections.

– Crois-tu ? Ils sont en tout cas bien nombreux à passer tous les jours en bas de chez moi, le saluant le bras tendu, comme des gladiateurs devant un empereur romain. On l'aperçoit de notre salon, guettant depuis son balcon, admirant cette foule de voyous qui se prosterne devant lui et l'acclame comme un demi-dieu. Il serait bien capable de faire porter la toge à la planète entière et de remettre l'esclavage au goût du jour. Il doit en rêver ! Et ses troupes aussi ! Je les vois s'enivrer dans les brasseries, juste derrière chez nous, célébrant tous les soirs le fameux putsch raté de leur saint patron, trinquant au salut de leurs seize martyrs, et rêvant cette fois-ci de réussir. On se croirait revenu des siècles en arrière. On dirait des tribus de guerriers, des sauvages, des cruels. Les SA, habillés comme des soldats de pacotille, terrorisent les enfants, les femmes, les hommes et les vieillards qu'ils croisent dans la rue. Ils déambulent, souvent ivres, bramant qu'ils sont des surhommes au sang pur, n'agissant qu'en groupe, en horde, en meute. Ah, s'ils prennent le pouvoir, comme leurs barbares d'acolytes italiens, je ne donne pas cher de notre douce démocratie, notre délicieuse république qui, hélas, permet à ces carnassiers de rôder en liberté. Oui, c'est le carnage qu'ils attendent.

– S'ils venaient au pouvoir ? s'est étonné mon oncle. Mais c'est impossible ! Ils n'ont pas atteint 3 % aux dernières élections. Le pays est beaucoup trop républicain pour voter pour eux. Depuis la guerre, il n'y a plus que des pacifistes, des planqués, des fonctionnaires, des gauchistes, des communistes, qui n'ont que le mot « république » à la bouche, comme si cela pouvait nourrir les millions de travailleurs mis au chômage par la paix de Versailles et ce maudit Jeudi noir provoqué par les banquiers de New York, Londres et Paris… Sais-tu que le chômage a décuplé dans l'année ? Il touche maintenant cinq millions de personnes. Et nos gouvernants ne pensent qu'à supprimer les charges des entreprises et à réduire les allocations sociales des particuliers. Et pour quel résultat ! Ce n'est pas de la faute de ton voisin, tout de même !

– Ne recommence pas…

– Oui, bon. Enfin, ce que je voulais dire, c'est que si Hitler devait être nommé au pouvoir, il ne ferait rien de pire que ces autres incapables, ces gauchistes de gauche ou de droite, ces pourris qui nous gouvernent. Mis à part donner un petit coup de pied dans la fourmilière de tous ces nantis qui se gavent pendant que le peuple souffre.

– Et les Juifs ? Que penses-tu qu'il ferait aux Juifs ? Aux gitans ? Aux communistes, aux syndicalistes, à tous ceux qui ne sont pas de son avis ? Quel sort leur réserverait-il ?

– C'est du bluff, des mots, des paroles de jeunesse, lâchées dans la rage, en prison. Ce n'est plus dans son programme d'ailleurs. Tu te souviens de mon copain Weiss Ferdl ?

– L'acteur ? Tu le connais ?

– Oui, on a combattu ensemble… Enfin, voilà, il connaît Hitler. Il m'a dit qu'il n'était pas du tout l'homme qu'on croyait. Il lui a d'ailleurs parlé de moi, lui affirmant que j'étais la preuve vivante que les Juifs ne sont pas des lâches. Hitler aurait acquiescé. Bon, il a dit : « C'est l'exception qui confirme la règle. » Mais c'est une boutade. Il a de l'esprit. Enfin, tout cela, c'est beaucoup de désinformation, tu sais. Les Français sont influents, les Américains aussi. Et les Britanniques également. Regarde, en Italie, Mussolini, le Duce, est au pouvoir depuis bientôt dix ans. Leur pays va beaucoup mieux, je t'assure. La démocratie a également ses faiblesses. Entre autres, celle de dénigrer tout ce qui la remet en question.

– Tu crois donc qu'ils t'épargneraient ? Mais as-tu bien lu *Mein Kampf* ?

Un serveur a fait tomber son plateau. On a entendu les verres se briser sur le sol. Les clients ont applaudi. J'ai regardé autour de nous. La salle était enfumée. Ça me piquait les yeux. Ma glace était si bonne, je m'y suis plongé, j'ai entendu mon souffle dans le verre.

– Je l'ai acheté, comme tout le monde, poursuivit mon oncle… Mais, je dois te l'avouer, je ne l'ai pas lu. Enfin, pas en entier, quelques pages, seulement, sur la guerre.

– Tu devrais le lire. C'est plus explicite que tu ne le crois. Je t'assure.

– Peut-être… Mais regarde dans quel état est le pays. Ah, si nous avions pu nous battre quelques mois de plus, au lieu de céder ainsi et tout abandonner à nos ennemis qui maintenant nous infiltrent et nous exploitent !

– Tu devrais te trouver un travail, une femme. Tu devrais…

– Arrête, veux-tu, je ne t'explique pas comment tu dois mener ta vie. Parlons d'autre chose…

Dehors la nuit tombait. Je les entendais, je n'écoutais plus pourtant. Les voix résonnaient. Cela faisait un grand bruit, un vacarme sourd, comme quand je mets les oreilles sous l'eau dans le bain. On entendait les verres, les pieds des chaises, les Klaxon dehors, et les gens qui appelaient le garçon.

– Bürschi, tu rêves ?

Mon oncle m'avait fait sursauter. Je suis grimpé sur ses genoux. Mon père et ma mère le critiquent souvent, mais je trouve qu'il est gentil. Et drôlement courageux. Il a fait la guerre ! Je l'adore.

– Tu as connu Hitler, toi ? Tu étais avec lui dans les tranchées ? C'était ton ami ?

– Mon ami ? Non mais ça va pas ? Mon ennemi, tu veux dire ! Un type comme ça aurait mérité de rester sur le champ de bataille. Écoute-moi bien, Bürschi, ton voisin a l'air d'être un homme comme les autres, mais sous sa moustache se cache le plus lâche des énergumènes. Ton père a raison.

Mon père a souri. Il a réglé l'addition, et nous nous sommes levés. Rosie nous attendait dehors. Nous avons embrassé mon oncle et sommes rentrés.

En bas de la maison, nous avons tous levé la tête. J'ai vu la silhouette d'Adolf Hitler à la fenêtre. Il avait l'air tout petit. Il regardait au loin, quelque part. Nous sommes montés chez nous sans rien dire.

*
* *

Nos cousins les Bernheimer nous ont invités à passer la journée chez eux aujourd'hui. Ils nous ont envoyé leur voiture, une américaine. C'est une Packard rouge avec des pneus cerclés de blanc, un marchepied qui remonte comme une vague le long des flancs et au-dessus des roues. Le capot a la longueur de notre couloir, la grille de radiateur, en dentelle de métal, est haute comme une fenêtre, une fée semble s'envoler tout au bout, bras tendus vers l'horizon, un cercle dans les mains. Le pare-brise peut se rabattre, il est tout petit pour ne pas attraper le vent et ralentir le véhicule. Le corps de la voiture ressemble à une nacelle et l'on y grimpe comme dans un carrosse. Le ciel tout entier se réfléchit sur la carrosserie. Ses phares chromés sont au nombre de quatre, larges comme des lampadaires. Amesmeyer, le chauffeur, porte un uniforme sombre aux boutons dorés. Sa casquette noire est assortie à la voiture, ourlée de blanc, cousue de rouge, la visière aussi réfléchissante qu'un miroir. Lorsqu'il se courbe pour me serrer la main, le gant droit plié dans la main gauche, je peux y voir les nuages glisser. Ils apparaissent déformés, se déroulant sur le vinyle comme des gouttes d'eau. Amesmeyer ôte la capote et je me sens comme un prince que l'on transporte à l'arrière d'un carrosse. Il lance le moteur. C'est comme un bruit d'eau qui coule, un bruit de torrent fluide. Nous partons. Nous voguons. J'aperçois la Mercedes d'Hitler qui me semble plus petite. Est-il à la fenêtre ? L'immeuble disparaît. Nous traversons la ville. Je vois des femmes qui poussent des landaus, des vieillards assis sur des bancs, des enfants qui jouent à la corde à sauter, des policiers à cheval, un parc aux arbres encore décharnés car l'hiver se termine seulement. Le chauffage nous enveloppe, nous caresse les jambes. Nous sommes blottis sous un plaid écossais. Il y a même un vase avec des fleurs. Je me sens heureux. Je le serai toute ma vie, je le sais.

Amesmeyer nous ouvre la porte de la Packard et nous descendons. La maison des Bernheimer est un immeuble que l'on nomme un hôtel particulier car on y est reçu comme dans un hôtel. Nous sonnons à la porte, un majordome ouvre. Un autre serviteur, vêtu d'un costume à queue-de-pie et pantalon gris, nous aide à retirer nos manteaux et les emporte dans une pièce où je ne suis jamais allé. Je suis toujours un peu gêné car je préfère l'enlever moi-même. Rien à faire, il est toujours plus rapide que moi. Il m'appelle M. Edgar.

Ma cousine Ingrid est là, qui m'attend debout, dans l'entrée décorée de tableaux grands comme des fenêtres. Ses souliers sont rouges et vernis. On dirait des cerises. Elle porte des collants gris, une robe rouge, avec un col de dentelle. Les cheveux blonds retenus par une barrette dorée, elle me tend la main et m'emmène jouer. Sa chambre, à peine plus petite que notre appartement, est meublée comme un palais miniature, avec un lit de princesse et une immense maison de poupée dans laquelle nous pouvons entrer. Nous y jouons toute la journée, nous imaginons des mondes : elle est une reine et je suis un chevalier, je suis un marchand de poissons, elle est une mère de famille. À 16 heures, nous avons faim. C'est l'heure du goûter. Nous passons par le jardin pour faire le tour de la maison et rejoignons la cuisine où nous retrouvons les délices soigneusement alignées sur des plateaux d'argent. Je raffole de la viande des grisons et des petites saucisses que l'on trempe dans la moutarde, la gouvernante nous prépare des jus d'orange, de la grenadine venue de Paris. Dans le salon, des peaux d'ours sont étalées sur des canapés rouges de la taille des barques que nous prenons l'été sur les lacs. La mère d'Ingrid joue sur un piano à queue.

Nous allons souvent chez les Bernheimer. Nous y avons fêté Noël, un soir. J'étais habillé comme un homme, avec un petit smoking et des souliers brillants. Les femmes portaient des chapeaux décorés de plumes, des gants de satin, et leur visage était voilé d'un filet noir derrière lequel scintillaient leurs yeux maquillés, le rouge de leurs lèvres et leurs sourires nacrés. Les invités se laissaient débarrasser de leurs effets que les femmes de chambre emportaient avec précaution : manteaux de fourrure de renard et zibeline, cannes à pommeau doré de leur mari, leurs hauts-de-forme et grands manteaux sombres ou colorés. Dehors, les voitures défilaient. J'en observais le ballet. De leurs mains gantées, les majordomes ouvraient les portes de carrosses dévoilant des intérieurs de cuir rouge, amande, gris, noir, crème, blanc. Dans le salon, un orchestre jouait sous le sapin des airs familiers, Mozart, Beethoven, Haendel, Bach, et d'autres plus amusants, du jazz, du fox-trot. Avant qu'on nous emmène nous coucher dans la chambre d'Ingrid, j'ai vu les adultes danser en croisant les genoux et les bras de plus en plus vite. Nous avons longtemps entendu les sons de la fête, les rires des grands, nous nous sommes endormis bercés par des airs de violon, de piano et de clarinette.

Chez mes cousins je me sens comme chez nous, bien que ce soit infiniment plus grand et habité d'objets mystérieux. Ils collectionnent les tableaux, les achètent, les exposent et les vendent. Les bureaux du père d'Ingrid, où nous allons parfois avec Rosie pour y retrouver Ingrid l'après-midi, ont des allures de musée. Le parquet brille telle la glace d'une patinoire, nous jouons à glisser dessus, nous élançant, imitant les patineurs que le père d'Ingrid nous a montrés sur un tableau hollandais. Nous en avons compté une centaine sur la mer de glace qui cerne leur village. Nous courons à toute force et mesurons nos glissades dans les galeries emplies de tableaux géants. Les gardiens connaissent Ingrid et ne nous grondent jamais. Ils nous demandent de nous écarter des toiles de crainte que nous les fassions tomber ou les déchirions.

Nous sommes chez les Bernheimer, dans leur maison de campagne, à Oberföhring. Leur villa est vaste comme un château. Les parents ont si peur que nous nous perdions dans le parc que la gouvernante d'Ingrid nous suit pas à pas, aux écuries, au potager, dans les serres, à l'orangerie, au labyrinthe, sur le terrain de tennis. Nous y retrouvons les chiens et les chats du domaine et un petit chiot adorable. Cette année, nous avons poursuivi les vacances chez d'autres amis de mes parents, les Siegel. Ils n'ont pas de château, leur maison à Munich est moins grande que celle des Bernheimer et leur chalet à Walchensee ressemble plutôt à une cabane qu'à une villa. Sur les bords du lac, se détachent au loin les pilotis où les gens du village vont régulièrement relever les parcs à huîtres, debout dans leurs barques sur des eaux vertes. Les vaches paissent sans enclos face à un paysage montagneux. Mais, surtout, ils ont une fille de mon âge : Beate. Elle et moi ne nous sommes pas quittés de l'été. Nous avons observé le coucher du soleil tous les soirs, main dans la main, effeuillant tant de marguerites dans les prés que nous n'en trouvions plus à la fin du séjour. Nous étions tristes de nous quitter, mais nous savions que nous ne serions pas séparés longtemps.

Beate habite juste à côté de chez nous, de l'autre côté de la place qui longe l'immeuble d'Hitler.

Depuis que nous sommes rentrés de vacances, on ne parle que de politique à la maison. Oncle Lion a publié son livre. Il est dans toutes les librairies. Quand nous allons nous promener, Rosie me le montre dans les vitrines. Je suis fier quand je le vois. Il paraît, nous a dit le libraire, qu'il se vend mieux que *Mein Kampf*. Je sais qu'il dit du mal d'Hitler, je sais aussi que notre voisin est un homme dangereux. Mes parents, les grands-parents, et ceux de Beate également, disent tous la même chose : c'est un menteur et un voleur. Même le livreur de lait en a parlé à Rosie. Il lui a affirmé qu'Hitler prenait tout le lait du quartier et qu'il en restait moins pour les autres. Ma mère était furieuse. Selon mon père, le livreur se trompait car il n'est pas possible qu'un citoyen puisse réquisitionner le lait de ses voisins. Il a ajouté que de toute façon

Hitler ne pouvait pas boire à lui tout seul ce que plusieurs familles consommaient. Ou bien c'était une bonne nouvelle car il en mourrait.

Il est devant nous, en bas de son immeuble. Nous nous sommes arrêtés. Rosie ne bouge plus. Je vois qu'il s'est un peu coupé en se rasant, comme cela arrive parfois à mon père. Il a les yeux bleus. Je ne le savais pas. Cela ne se voit pas sur les photos. Je croyais qu'ils étaient tout noirs. Je ne l'avais jamais vu de si près. Il a des poils dans le nez, et un peu dans les oreilles. Il est plus petit que je croyais. Plus petit que mon père. Plus petit que Rosie. Les passants s'arrêtent, comme nous. Il me regarde. Je devrais baisser les yeux. Je ne peux pas. Je le dévisage. Peut-être devrais-je lui sourire ? Je suis son voisin après tout ! Est-ce qu'il me reconnaît ? Sait-il que je l'observe depuis ma chambre ? Peut-il voir chez nous ? Nous regarde-t-il dîner dans la salle à manger ? Sait-il que je suis juif ? Je voudrais qu'il ne me déteste pas. Ni mon père. Ni ma mère. Est-ce que les gens me regardent ? Il est monté dans une voiture sombre, noire comme la nuit, aux lignes dures comme de la pierre.

1930

*
* *

Je rentrais du parc avec Rosie. Je courais sur le trottoir, faisant avancer mon cerceau à petits coups de bâton. Oncle Lion était là quand nous sommes arrivés à la maison. J'avais très faim. C'était l'heure du goûter. Rosie m'a emmené dans la cuisine pour me laver les mains et me servir une brioche et un bol de chocolat. J'aime tremper la brioche dans le chocolat chaud. Quand elle fond trop et s'effrite, je rattrape les morceaux avec la cuillère et je les laisse fondre dans la bouche. C'est le moment que je préfère. Je ferme les yeux, hume l'odeur du chocolat. Je sens le souffle des courants d'air sur mes mollets. J'entends les oiseaux qui piaillent dans leur cage sur le balcon de derrière. Rosie s'amuse et me traite de petit gourmet. Elle me sert encore de la brioche, et je recommence. On entend les voix des adultes. Rosie m'a débarbouillé – elle a dit que j'avais des moustaches –, et je suis allé m'asseoir par terre dans le salon, au soleil, pour écouter ce qu'ils racontaient. Ma mère avait l'air préoccupée. Mon père était sérieux. Seul oncle Lion continuait à sourire. Ils regardaient tous un journal déplié sur la table.

– Regarde ce qu'ils font, c'est dégoûtant, dit mon père.

On voyait le dessin d'un gros bonhomme avec un nœud papillon, un grand nez et des sourcils qui ressemblaient à des buissons.

– Mais tu ne vas pas t'émouvoir pour si peu, dit oncle Lion. Attends de voir la critique de M. Goebbels en personne, directeur du journal, et habitué de la table de ton voisin. Il dit qu'ils me feront payer quand ils auront le pouvoir. Qu'entend-il par là ? Il ne le dit pas. Probablement parce que cela ne doit pas être bien légal. Lynchage public ? Assassinat ? Torture ? On ne peut pas savoir quels supplices les nazis imaginent pour ceux qu'ils exècrent, c'est-à-dire les neuf dixièmes de la planète.

– Peuvent-ils accéder un jour au pouvoir ? demande ma mère.

– Je ne sais pas, soupire oncle Lion. Goebbels a bien réussi à se faire élire au Reichstag, lui. Tu sais ce qu'il a dit ? Que lui et les onze autres députés nazis y étaient comme les loups dans la bergerie. Les fascistes ont bien réussi à prendre la totalité du pouvoir en Italie ! Les élections sont dans un mois, en septembre. On s'attend à une augmentation de leur dernier score. Ils ne représentaient que 3 % il y a trois ans. Mais depuis, le chômage a explosé. Le Jeudi noir de Wall Street n'en finit pas de répandre ses cendres sur notre pays. Les sociétés allemandes ne vendent plus rien, elles sont à court de liquidités. Les banques ne prêtent plus, et leurs clients font faillite les uns après les autres. Les gens sont désespérés. Comme Hitler et sa bande n'ont encore jamais gouverné, on les pare de toutes les vertus. Enfin, disons que certains croient – ou espèrent – que le monde tournera mieux avec eux, puisque leur chef le dit avec tant de conviction. Et puis, le coupable est tout trouvé. Le Juif. Bien sûr. Comme à l'Antiquité, à Rome, au Moyen Âge, à la Renaissance. On y revient.

– Tu exagères, dit ma mère.

– Je t'assure que non. Il y a ce qu'ils disent devant tout le monde. Et ce qu'ils se disent entre eux. Je lis tout ce qu'ils publient. Et cela ne change pas. C'est une obsession. Ils ne parlent que des Juifs, des étrangers, des banquiers, sans qui le monde serait meilleur, bien sûr.

*

* *

Mes parents sont partis voter – ils n'ont pas voulu m'emmener – puis ils sont rentrés. Ils étaient de bonne humeur.

Le lendemain, au petit déjeuner, ils ne disaient rien. Ils lisaient le journal. Rosie se taisait également. Je lui ai demandé si Adolf Hitler avait gagné. Elle m'a répondu que non mais que, s'il n'avait pas gagné, il n'avait pas perdu non plus. Il avait remporté 18 % des suffrages. Cela signifie que, dans la rue, une personne sur cinq a voté pour lui, comme si dans notre maison l'un d'entre nous avait voté pour les nazis et pareil dans toutes les maisons. Rosie avait-elle voté pour lui ? Elle a haussé les épaules, avec tristesse. Elle avait voté pour les communistes, et seulement une personne sur dix en avait fait autant. Elle s'est énervée :

– Les communistes voulaient tout partager, ils étaient pour l'égalité, ils ont défendu les ouvriers dans le passé pour qu'ils puissent se reposer le dimanche. Tout le monde l'a oublié ! Maintenant, on préfère voter pour Hitler, qui n'a jamais travaillé de sa vie.

J'ai décidé d'être communiste quand je serai grand.

1931

C'est à cette époque que mes yeux s'ouvrirent à deux dangers que je connaissais à peine de nom et dont je ne soupçonnais nullement l'effrayante portée pour l'existence du peuple allemand : le marxisme et le judaïsme.

Adolf HITLER, *Mein Kampf*, toujours au sujet de ses jeunes années à Vienne

C'était la première fois que j'allais chez le dentiste, le Dr Arndt. J'avais hâte que ce jour arrive car j'avais perdu plusieurs dents de lait et les nouvelles poussaient déjà, des dents de grand, que je garderai toute ma vie. J'étais pressé de les montrer.

– On va vérifier que tu n'as pas des dents de vampire, m'a taquiné Rosie en imitant le Vampire de Düsseldorf.

Avec ma mère, nous y sommes allés à pied, longeant la demeure du « Roi de Munich », la place du Prince-Régent et l'Opéra. Sur le trajet, maman et moi chantions ensemble, je courais devant, évitant les flaques d'eau, visant les rainures du trottoir. Maman a poussé la porte d'entrée, en bas de l'immeuble du docteur. Je me suis rapproché d'elle, elle a passé sa main dans mes cheveux, sur ma nuque, comme si elle avait deviné mes pensées. J'avais envie de repartir. Nous sommes montés au premier étage, elle a sonné et la porte s'est ouverte sur une petite dame en blouse blanche. Maman a donné mon nom, la dame à l'air sévère nous a froidement indiqué la salle d'attente. Nous n'étions pas seuls : une grosse dame perdue dans un large manteau de fourrure se maquillait face au miroir de son poudrier. J'ai aperçu son regard se poser sur moi, me dévisageant, puis replonger dans la boîte de Bakélite. À sa voisine, une petite femme vêtue en noir, elle a dit assez fort pour que tout le monde entende :

– Mais pour qui se prend-il, à la fin ?

Elle parlait d'Adolf Hitler, j'en étais sûr. J'avais entendu papa dire que la seule chose qu'il partageait avec Hitler était son dentiste, et il avait ajouté qu'il l'avait vu entrer dans l'immeuble. Il devait certainement se faire soigner dans la salle d'à côté. Quand la porte du docteur s'est entrouverte, tout le monde s'est tu, la dame qui parlait si fort y compris. Je me suis demandé si Hitler avait pu l'entendre ou si les murs capitonnés du cabinet avaient étouffé sa voix stridente. La porte est restée longtemps à demi-fermée. On entendait le docteur parler avec déférence à son patient dont nous n'apercevions qu'un petit morceau de la veste dépassant dans l'interstice. J'observais la main ridée du dentiste tenant la poignée lorsque la porte s'est ouverte d'un coup, et nous avons tous vu le visage du docteur, sa blouse blanche et ses petites lunettes. Et Herr Hitler est apparu. C'était un petit homme barbu, qui ne ressemblait pas du tout à notre voisin ; il portait un grand chapeau et ses cheveux étaient coiffés avec des papillotes qui faisaient des boucles devant ses oreilles. Ce n'était pas lui…

Le patient inconnu nous a salués et s'en est allé. J'ai pensé que la dame allait se lever et prendre la suite. Mais c'était notre tour. Le docteur a fait le baisemain à maman, il a serré la mienne et nous a fait entrer. Nous nous sommes assis chacun dans un fauteuil en face de son bureau. Je sentais le cuir râpé sous mes cuisses lorsqu'il posait des questions à ma mère. Il notait les réponses sur une feuille, répétant lentement après elle de sa voix grave et granuleuse. Entre deux phrases, on entendait la plume glisser sur le papier. Son bureau ressemblait à celui de mon père : le sous-main de cuir, un buvard couvert de taches bleues, une petite bouteille d'encre de la couleur de la nuit, un coupe-papier étincelant, de longs ciseaux argentés où se réfléchissait le lustre du plafond. Le tic-tac d'une pendule posée sur la cheminée ornée d'un haut miroir résonnait dans la pièce. On entendait le moteur des voitures et les Klaxon dans la rue. Je ne pouvais me retenir d'observer de l'autre côté de la pièce le grand siège d'acier dressé sur un pied, orné de lampes, d'instruments métalliques, de miroirs, de câbles et de tiges de fer. Plus loin, dans un coin sombre du cabinet, une autre porte capitonnée de cuir s'est ouverte et une infirmière est entrée. Elle portait une blouse blanche et un petit calot. Elle ressemblait à Marlene Dietrich. Allongeant le fauteuil où le docteur m'avait demandé de m'asseoir, elle m'a souri tandis que je glissais en arrière. Ses yeux étaient verts et ses cils longs et noirs. J'ai senti son parfum envahir la pièce, sa blouse effleurant mon visage. Le projecteur s'est allumé et je n'ai plus rien vu d'autre que les facettes de verre autour de l'ampoule – et le visage du dentiste tout rose. Il m'a ordonné d'ouvrir la bouche et y a glissé un instrument froid. Je l'ai senti cogner légèrement mes dents, ses doigts écartant mes lèvres. Pour oublier, j'ai regardé le visage de l'infirmière. Elle me souriait, ses lèvres rouges entrouvertes, un point noir dessiné au crayon sur la joue, juste au-dessus de la bouche. Ses dents avaient la couleur des nuages. Je me suis demandé si Hitler la trouvait jolie.

La séance s'est rapidement terminée. Le docteur a dit que tout allait bien et un instant plus tard nous étions dans la rue. Sur le chemin du retour, des vendeurs de journaux criaient que le Vampire de Düsseldorf avait été arrêté. J'allais pouvoir aller jouer tout seul dans la cour à nouveau. Dans le ciel, un zeppelin volait. Il a disparu derrière un immeuble aux toits rouges, comme tous ceux de Munich. Je repensais à l'infirmière, au dentiste et à Adolf Hitler.

*

* *

Dans la cuisine, Rosie lit le journal qui raconte l'histoire du Vampire, avec des photos. Peter Kürten a tué au moins dix personnes, dont un seul adulte à coups de marteau. Ses parents étaient pauvres. Il avait douze frères et sœurs. Enfant déjà, il avait noyé deux camarades. Adulte, il avait poignardé et étranglé ses autres victimes. Les journaux précisent que le Vampire était un syndicaliste et Rosie m'a expliqué que ce sont les ouvriers qui se regroupent pour obtenir de meilleures conditions de travail à l'usine.

– La vie des ouvriers est terrible, a ajouté Rosie. Ils partent travailler dans la nuit et ne rentrent que pour se coucher sans dîner. Ils meurent avant d'avoir le temps de vieillir. Si ton père avait été ouvrier, il serait peut-être déjà mort et tu n'aurais pas eu le temps de le connaître.

Je me demande souvent ce que cela fait d'être orphelin. Rosie m'a raconté que depuis le Jeudi noir les orphelinats étaient complets : les pauvres y abandonnent les bébés qu'ils ne peuvent plus nourrir. À la veille de la guerre, Kürten avait été condamné à quelques années de prison, il avait ainsi évité le front, et dès sa sortie il avait étranglé d'autres enfants. Cette fois-ci, Kürten devrait être condamné à mort.

Le journal présente aussi une photo du maréchal von Hindenburg. Ses moustaches, ourlées comme de la laine de mouton, remontent le long de son visage et on peut compter ses vingt médailles. C'est un héros, son buste est même imprimé sur les timbres. Il a déjà fait deux guerres contre la France. Il a gagné la première, celle de 1870. Et si on l'avait écouté il aurait remporté la deuxième, celle de 1914-1918. Oncle Berthold m'a raconté que le maréchal avait mené toutes ses batailles aux côtés d'un autre grand stratège, Erich Ludendorff ; à eux deux ils étaient invincibles : on les surnommait « les Dioscures », comme les jumeaux Castor et Pollux, les héros de mon livre sur la mythologie grecque. Oncle Berthold m'a montré des dessins en couleurs dans un magazine illustré. On y voyait les deux hommes marchant dans la rue avec des casques à pointe. Sur un autre dessin, ils étudiaient des plans militaires sur une grande table.

– Quand ils étaient là, l'armée allemande était la plus forte du monde, a ajouté oncle Berthold.

Rosie n'était pas d'accord :

– Sans eux la guerre se serait arrêtée plus tôt et il y aurait eu moins de morts. Et d'ailleurs Ludendorff ne vaut pas mieux qu'Hitler, tous deux ont leur carte au parti ! Mais au moins, Hindenburg dit ce qui est : Hitler n'est qu'un petit caporal bohémien.

Hindenburg a quatre-vingt-cinq ans et il est le président de la République. En fait, cela ne fait pas longtemps : il avait pris sa retraite après la guerre et vivait paisiblement à la campagne lorsque ses anciens camarades sont venus lui demander de revenir au pouvoir. Il avait soixante-dix-sept ans, sa femme venait de mourir, il s'ennuyait. Rosie m'a raconté avoir vu passer dans la rue des camions transportant des bustes à son effigie, suivis de groupes d'hommes chantant son retour et annonçant la future revanche de l'armée allemande sur les gauchistes de Weimar.

La coalition de Weimar, ce sont ceux qui ont signé la paix avec la France, sans laisser le temps aux Dioscures de gagner la guerre, m'a déjà expliqué oncle Berthold. À cause d'eux, l'Allemagne a sombré dans la pauvreté et les anciens combattants comme mon oncle n'ont jamais pu retrouver de travail. J'étais fier de le raconter à Rosie. Mais elle a prétendu que mon oncle disait des sottises :

– La guerre n'a jamais fait le bonheur des gens, mon petit Bürschi. Weimar n'était pas une coalition, c'est une république, une démocratie autorisant le peuple à voter. Même nous les femmes nous pouvons voter depuis 1918. Grâce à Weimar, l'Allemagne est un pays en avance sur le monde.

Rosie donnait l'impression de se retenir de pleurer. Elle m'a parlé de son fiancé jamais revenu des tranchées de Verdun, éventré par la baïonnette d'un Français. J'aurais voulu le venger.

– Non Bürschi, m'a répondu Rosie, il ne faut jamais souhaiter la mort de personne. Le Français est mort avec lui sur le champ de bataille. J'irai un jour déposer une fleur pour eux deux.

*

* *

Le Vampire de Düsseldorf a été condamné. Il sera décapité. Je suis content, bien qu'il soit mal de souhaiter la mort des autres. Je pense souvent à ses victimes et aux parents des enfants étranglés. Ils doivent pleurer jour et nuit. Je n'aimerais pourtant pas voir le Vampire se faire couper le cou à la hache. Dans la rue, les kiosques affichent la photo d'un homme tapi dans l'ombre, c'est un film qui sera bientôt diffusé au cinéma, M *le maudit*, l'histoire du Vampire de Düsseldorf. Je n'aurai pas le droit d'y aller, je le sais, car on dira que je suis encore trop petit. Je voudrais être déjà grand !

*

* *

Mon père était à la maison aujourd'hui. Il m'a donné une mission : apporter un livre à Thomas Mann. J'étais impatient de m'y rendre car mes parents m'ont souvent décrit sa villa gigantesque, remplie d'objets étonnants. Thomas Mann invente des histoires pour les grands, il écrit des livres avec une plume sur du papier, puis il remet les feuilles à un éditeur, un homme qui exerce le même métier que mon père et qui les fera imprimer sur de lourdes machines.

Rosie me précédait sur le chemin qui longe les champs derrière notre immeuble. Ce matin, je m'étais habillé comme un matelot, je portais un costume marin avec un col, une vareuse et un chapeau plat. J'avais eu le droit de prendre mon filet à papillons. Le soleil tapait fort. Heureusement, Rosie avait pris une gourde remplie d'eau, elle y avait ajouté quelques gouttes de grenadine. Je n'ai pas vu de papillons voler, pourtant le ciel était bleu et je voyais au loin. Les abeilles et les mouches dansaient dans le soleil, les oiseaux volaient en nuées. Je m'ennuyais. J'aurais dû prendre mon cerceau. Enfin, nous sommes arrivés devant la villa cachée derrière un mur de lierre. Rosie a sonné et un homme est venu nous ouvrir. J'ai tout de suite su que ce n'était pas Thomas Mann car il portait un costume de domestique. Il nous a menés au jardin, Rosie lui a donné la raison de notre venue. Derrière la fenêtre de la villa, un homme nous regardait, les cheveux plaqués en arrière. Il lissait sa moustache, une cigarette dans l'autre main. Il faisait chaud dehors, je sentais des gouttes de sueur couler dans mon dos. Comme il devait faire frais à l'intérieur ! J'étais fier d'être venu jusqu'ici à pied, je tenais encore le livre, empaqueté par mon père dans un papier fermé avec une petite ficelle. J'avais promis à papa de le saluer pour lui. Je savais qu'il allait me féliciter. Mais le domestique a pris le livre, nous a remerciés et reconduits à la porte sans nous avoir fait entrer. La villa me paraissait enchantée avec son grand escalier de pierre blanche et ses hautes fenêtres de château. Des enfants jouaient sur une balançoire derrière la maison. Leurs rires venaient jusqu'à nous, portés par le vent. On entendait une rivière couler et le bourdonnement des abeilles. Pourquoi n'étais-je pas invité ? J'avais envie de pleurer. Rosie n'a pas osé sonner de nouveau et nous sommes rentrés à la maison. Sur le trajet du retour, elle m'a raconté qui était Thomas Mann, un des écrivains les plus célèbres d'Allemagne, comme oncle Lion, son ami. Ses livres décrivent la beauté des choses de la vie, ils racontent le monde des enfants d'autrefois, l'Allemagne d'avant la Grande Guerre. À l'époque, les femmes portaient des robes à froufrous, de larges chapeaux à fleurs et s'abritaient du soleil avec des ombrelles. Thomas Mann a reçu le prix Nobel de littérature : il est le plus grand écrivain du monde.

*
* *

Rosie me lit le journal. Hier, le 2 juillet 1931, à 6 heures du matin, le Vampire de Düsseldorf a été décapité à la prison de Cologne. Ses bourreaux ont finalement utilisé une *Fallbeil*. C'est une hache tombante, un appareil muni d'une glissière dans lequel on enfile une lame aussi effilée que celle d'un rasoir. Ses derniers mots ont été : « J'espère seulement que j'aurai le temps d'entendre le sang jaillir de mon corps. » Je me demande sans cesse si sa tête a pu entendre quelque chose depuis le panier dans lequel elle a roulé. Rosie me parle du film M *le maudit* qu'elle est allée voir. Il lui a fait penser à *L'Opéra de quat'sous*, avec tous ces voyous qui vivent entre eux en dehors des lois, et qui jugent leur société de malfrats meilleure que celle des bourgeois. Je n'ai pas envie d'écouter. Je regarde à la fenêtre. J'ai vu le rideau bouger en face. Demain, nous partons en vacances sur les lacs chez nos amis les Siegel. Je vais retrouver leur fille, Beate, mon amie d'enfance.

*
* *

Nous sommes papa et moi sur un bateau qui glisse sur l'eau. Je suis assis à l'avant, je n'ai pas le droit de bouger, juste de me pencher un peu, au-dessus des vaguelettes striées et argentées. Je vois les rayons du soleil s'enfoncer comme des fils jusqu'au fond où tout est noir. Le vent siffle dans les câbles qui retiennent le mât, des poissons nous coursent, ils filent sous l'eau le long de la proue. Ils nagent en bancs, glissent comme des gouttes d'eau sous l'eau. Papa est vêtu de blanc, la semelle de ses souliers en gomme rouge assortie au V bordeaux de son pull-over. Il est penché en arrière, la main gauche sur la barre du safran, l'autre fermée sur un bout. Il borde la voile, le voilier gîte, il me sourit, les cheveux plaqués par le vent. Les maisons semblent petites, des paysans labourent les champs, poussent une machine tirée par une paire de bœufs. Quand je serai grand, je serai skipper, je voguerai sur les mers à bord d'une goélette. Le foc se gonfle encore et le voilier se couche presque, la bôme frôle les vagues grises sous l'effet de la risée. Je m'agrippe, je pense à Rosie, elle me manque.

– Bürschi, attrape le bout, Bürschi !

Maman nous attend sur le ponton. Elle m'a lancé un bout, il m'a fouetté la jambe, je le donne à papa, il fait un nœud en huit, amarre le bateau et nous descendons. Nous allons déjeuner maintenant. Maman nous annonce des œufs mimosa, de la truite et des sorbets pour le dessert. Tous les jours nous faisons du bateau avec mon père ou celui de Beate Siegel, puis avec elle nous attrapons des sauterelles et les élevons en colonies, nous chassons les papillons puis nous les relâchons.

Je n'ai envie ni de rentrer, ni de retourner à l'école. Je dis souvent à maman que je voudrais toujours rester avec elle, papa et Beate. Elle me sourit, me rappelle que j'adore l'école et me raconte mon premier jour de classe. Je n'avais pas eu peur, je n'avais pas pleuré, contrairement aux autres enfants qui ne voulaient pas quitter leur maman, je ne craignais pas de découvrir un nouvel univers, j'étais curieux. Je me souviens de notre professeur, Herr Pichelmann, sa blouse blanche comme celle de mon dentiste, et son violon dont il jouait pour les élèves de la classe. Grâce à lui, je sais lire et écrire. Mon meilleur ami de l'école s'appelle Ralph. Il parle comme une grande personne. Le dimanche, quand il vient à la maison, nous jouons aux petites voitures ou à *Émile et les détectives*[1]. Le héros de ce livre, un enfant, s'est fait dérober son argent pendant son sommeil lors d'un voyage en chemin de fer. Il se retrouve dans Berlin où il rencontre une bande d'enfants de son âge. Ils rattrapent les voleurs et récupèrent le butin. Ils sont plus malins que les adultes et plus habiles que les malfrats.

Ralph a de la chance. Tous les jours, un chauffeur vient le chercher à la sortie de l'école, il monte dans sa longue voiture noire, de la taille de celle de nos cousins Bernheimer, et, assis seul sur la banquette arrière, me lance un au revoir à la fenêtre.

J'aimerais vivre ici, sur les lacs, en même temps je suis impatient de le revoir. Maman a commencé à faire les bagages. Nous allons bientôt rentrer.

Les vacances ont été si longues qu'à notre retour je ne me souvenais plus du visage de Rosie. Elle nous attendait dans la rue, devant la porte. Je ne l'ai pas reconnue, je l'ai prise pour une autre. Elle portait pourtant sa tenue

1. *Emil und die Detektive.*

habituelle, une grande robe noire et un tablier blanc. Mais elle avait changé de coupe de cheveux. Ils étaient plus courts. Elle m'a embrassé fort, papa et maman lui ont serré la main et nous sommes montés. Ils lui ont demandé des nouvelles de la ville.

– De pire en pire. Des manifestations tous les jours devant la maison ! Un jour pour Hitler, le lendemain contre lui. Un matin ses admirateurs défilent le bras tendu sous ses fenêtres, le soir ce sont les autres qui passent le poing levé en le moquant. Les manifestants s'affrontent de plus en plus violemment. On compte les morts après chaque rassemblement. Et le reste du temps, ce sont les mendiants qui sonnent et sonnent encore à notre porte. Avec toutes ces élections, la ville est électrique.

1932

Ce fut seulement quand j'eus quatorze ou quinze ans que je tombai fréquemment sur le mot juif, surtout quand on causait politique. Ces propos m'inspiraient une légère aversion et je ne pouvais m'empêcher d'éprouver le sentiment désagréable qu'éveillaient chez moi, lorsque j'en étais témoin, les querelles au sujet des confessions religieuses.

À cette époque, je ne voyais pas la question sous un autre aspect.

Adolf HITLER, *Mein Kampf*

La chambre de Rosie est à côté de la mienne. Je l'y retrouve parfois le soir. Nous nous asseyons sur son lit. Nous avons un secret elle et moi. Elle lit les livres de la bibliothèque de mon père et me les raconte. Elle m'explique tout, et je retiens bien ce qu'elle me dit, des histoires dont mes parents s'entretiennent en pensant que je ne peux pas comprendre. Rosie me parle de politique. Elle et moi, nous sommes spartakistes. Les spartakistes sont les communistes d'autrefois, ils voulaient créer un monde sans différences entre les pauvres et les riches. Leur nom vient du gladiateur Spartacus qui avait libéré les esclaves au temps des Romains. Rosie me confie des histoires qu'elle ne raconte pas aux autres. Elle porte le même nom que son idole Rosa Luxembourg, la chef des spartakistes allemands. Rosie me montre sa photo imprimée dans un journal caché sous son lit. Rosa Luxembourg était contre la guerre et la monarchie, elle ne voulait pas que les Allemands et les Français se battent, elle estimait que les hommes étaient tous frères. Elle aurait voulu supprimer les frontières, les rois, les différences. Guillaume II, notre empereur, l'avait emprisonnée pour ses idées. Il avait déclaré la guerre à la France, mon oncle Berthold s'était battu, et le fiancé de Rosie était mort. Quand Rosa Luxembourg est sortie de prison, elle a mené une révolution et contraint l'empereur à quitter le trône et on a enfin cessé de se battre. Ce jour-là a été pour Rosie le plus beau jour de sa vie. Mais, plus tard, des amis de l'empereur, des militaires, ont assassiné Rosa Luxembourg dans l'espoir de reprendre les combats. Depuis, Rosie ne dit plus à personne qu'elle est spartakiste. Sauf à moi. J'aimerais être Spartacus le gladiateur et mener une armée d'esclaves pour défaire ceux qui veulent la guerre.

*

* *

La semaine dernière, des foules de manifestants sont passées sous la maison. Du haut de ma chambre, Rosie et moi les avons observées. Des ondées de nazis glissaient entre notre maison et celle d'Hitler. Il en est passé toute la journée. Les SA d'Hitler marchaient au pas, bien alignés, ressemblant à une véritable armée, leurs brassards rouges avec un rond blanc et une croix gammée à l'intérieur. Ils ont tendu le bras droit vers la chambre de leur chef, criant son nom, hurlant : « *Heil Hitler ! Heil Hitler !* », et sous ces rugissements interminables les fenêtres ont vibré comme un tambour. Tante Bobbie et le duc sont descendus nous voir, et nous nous sommes tous serrés derrière la fenêtre fragile.

– Ce sont des sauvages, a dit Tante Bobbie.

– Des idiots, a ajouté le duc.

– Ils sont si jeunes. Regardez, ils n'ont pas quinze ans, a sifflé Tante Bobbie. Comme s'il suffisait de hurler dans la rue pour résoudre les problèmes ! Verdun ne leur a pas suffi. Ils veulent se battre, eux aussi, pour finir comme leurs pères ou leurs oncles. La gloire de tuer ou se faire tuer ! Et cette haine des Juifs, c'est détestable !

– Vulgaire, a dit le duc, en ajustant son monocle. Votre fille devrait raisonner son compagnon, ma chère.

– Mais puisqu'elle l'aime ! Et vous savez bien qu'elle n'y entend rien en politique. Lui non plus d'ailleurs. Je crois qu'il ne fréquente les nazis que pour les affaires.

– Les affaires ?

– Oui, au cas où Hitler viendrait au pouvoir, il faudra bien continuer à faire tourner les usines. On dit qu'il est prêt à lancer d'importantes commandes militaires.

– Dieu nous en garde.

*
* *

Rosie est plus gaie. Depuis ce matin nous observons une autre foule marcher dans notre rue. Elle coule comme une rivière, on dirait des vaguelettes sous la proue d'un bateau. Cette fois-ci ce sont les amis de Rosie. Elle est fière, sûre que ces hommes et ces femmes éviteront une nouvelle guerre à l'Europe. Ils me semblent moins nombreux et débraillés, ne sachant pas marcher en cadence. Leurs uniformes sont dépareillés, teints en vert de différentes nuances. Ils tournent à l'angle de la rue, s'arrêtent devant chez Hitler et tendent leur poing au ciel.

Ce soir, Rosie m'a lu les journaux. Elle a les yeux tout rouges. Elle a pleuré. Papa va et vient entre la fenêtre du salon et la porte d'entrée. Il s'arrête devant les journaux, étalés sur le bureau, et dit à ma mère :

– Le vieil Hindenburg a battu Hitler, soit, mais avec seulement 53 % des voix ! Tu te rends compte ? Et maintenant les nazis ont deux cent trente sièges au Reichstag. Ils sont devenus la plus grande force du pays. Il y a six millions de chômeurs dans les rues : une personne sur trois ! Hindenburg va être obligé de le nommer chancelier. Comment gouverner autrement ? Et quand je pense qu'il n'a eu la nationalité allemande que cette année ! Et tout le monde le rejoint : Fritz Thyssen lui a présenté les plus grands industriels de Düsseldorf. Il leur raconte que la démocratie est la cause de la crise, et ils le croient ! Et pendant ce temps, ses maudits SA assassinent. Ils ont encore tué seize pauvres garçons dans les rues de Hambourg le 17 juillet dernier. Hitler a le culot de réclamer la grâce de ces meurtriers qui risquent la peine de mort. Il paraît que Hjalmar Schacht, l'ancien président de la Banque centrale du Reich, va le soutenir. Tout le monde croira que les nazis ont des solutions économiques crédibles. Comme si nous couper du monde, fermer les frontières et prévoir la guerre pouvait nous préparer un monde meilleur.

– Schacht ? Mais nous le connaissons ! dit maman.

Elle cherche dans l'album une photo de groupe. Mes parents posent devant un établissement. Le cliché a été pris en Suisse, à Zurich, à un congrès auquel Schacht était invité ainsi que mon père. Papa est en haut à droite, Hjalmar Schacht, au centre, ma mère en bas à gauche, avec les épouses.

*
* *

Chaque fois que nous passions devant le grand Opéra, ma mère me jurait qu'elle m'y emmènerait. Nous y sommes aujourd'hui pour voir *Guillaume Tell* en matinée. On appelle ainsi les représentations du dimanche pour les enfants. En réalité, c'est l'après-midi et il n'y a presque pas d'enfants. Je n'avais jamais vu un endroit aussi beau. Les murs, les sièges et le sol sont en velours rouge orné de dorures. Nous sommes tous les deux comme un couple d'amoureux. Je porte un costume d'homme, avec une chemise blanche, une cravate et des souliers de cuir noir. Hélas, mes culottes de flanelle m'irritent les mollets. Maman porte une belle robe verte que j'ai choisie pour elle. Les veuves de guerre sont en noir, les invalides, blessés aux tranchées, sont nombreux. L'un d'entre eux n'a pas de jambes. Je m'en suis aperçu à l'entracte, quand la salle entière s'est levée, sauf lui. En haut, il était comme tout le monde, avec une tête d'acteur, une moustache très fine et les cheveux plaqués en arrière, mais sous son ventre c'était le vide. Au bar, un monsieur avait un crochet à la place de la main, et lorsque nous sommes retournés nous asseoir, un homme au nez de cuir m'a tenu la porte des corbeilles. Puis les artistes ont repris l'histoire en chantant. J'ai reconnu certaines parties que maman interprète parfois au piano et je me suis endormi, bercé par la musique. Sur le chemin du retour, j'ai confié à ma mère combien j'aimais ma vie, j'ai énuméré les noms de ceux que j'aimais, sans oublier Arabella que l'on n'a pas vue depuis si longtemps. Elle m'a promis que nous l'inviterions très bientôt.

*
* *

À la maison, mes parents ne parlent plus que d'Hitler. Le soir, ils se répètent ce que leurs amis leur ont appris dans la journée. Mon père a un ami qui côtoie Hitler, Carl Schmitt, un écrivain sérieux, qu'il reçoit parfois à la maison. Entre deux visites, papa et Carl Schmitt s'écrivent ; le matin, au petit déjeuner, papa nous lit leur correspondance à voix haute. Ils parlent de politique, de l'Allemagne. Ces lettres m'ennuient.

Ce soir, mon père et le duc commentent l'actualité. Je les écoute en silence.

– Ce Schleicher n'est pas un si mauvais chancelier, dit mon père. Hindenburg a été astucieux en le choisissant pour ce poste. Les nazis reculent. Maintenant qu'ils sont au Parlement, les gens comprennent que les nazis n'ont pas de baguette magique. Ils ont perdu deux millions de voix aux élections du 6 novembre. Schleicher oppose Hitler à son rival, Otto Strasser. Ils s'entredéchirent. Il paraît que notre voisin est au bord du suicide.

– En attendant, ses hommes continuent

leur travail immonde. Ils étaient plus de cent mille enfants, tous en uniforme, à acclamer Hitler en chantant, lors du Congrès national des Jeunesses hitlériennes réuni à Potsdam le 1er octobre dernier. Les SA d'Ernst Röhm arpentent les villes la nuit. On parle de plus de cent meurtres politiques dans les rues. Le vieil Hindenburg reçoit Hitler chez lui. Cet ancien pilote de chasse, Hermann Göring, le fréquente également. Quand je pense qu'il a nommé cette brute à la présidence du Reichstag. Quant à leur confrère Joseph Goebbels, ce perfide avorton, soi-disant intellectuel, qui dirige leur infâme journal, *Der Angriff*. Vous savez ce qu'il a dit ? « Nous entrons au Reichstag comme des loups dans la bergerie. » Ce n'est pas rassurant, tout de même !

– Nous sommes en 1932, voyons ! Les gens sont informés. Personne ne souhaite une dictature. Non, je ne suis pas inquiet.

Ma mère m'a fait promettre de ne plus dire aux autres que nous sommes juifs. Le soir dans sa chambre Rosie me répète que les Juifs ne sont pas une race mais les pratiquants d'une religion, et que d'ailleurs on n'est pas obligé de pratiquer la religion de ses parents, ni d'avoir la foi. On naît libre de croire en Dieu ou pas, et donc d'être juif ou pas. Elle m'explique que les Juifs ont été brimés pendant des siècles, qu'ils n'avaient pas le droit de posséder de terres, mais qu'ils sont des hommes comme les autres, et peut-être même plus méritants car sans cesse martyrisés. Elle s'enflamme et me dit qu'il ne faut pas avoir honte d'être juif et me cite les noms de Juifs qui ont fait de grandes choses. Elle me parle de Karl Marx, qu'elle admire tant, et me relate toute sa vie, ainsi que celle de Rosa Luxembourg, juive également.

– Hitler raconte des sornettes. Il affirme que les Juifs sont tous communistes, d'un autre côté il prétend qu'ils contrôlent les banques – mais en Allemagne la plupart des banques sont dirigées par des protestants ! Il dit que les Juifs ne veulent rien partager – or celui qui a le plus milité pour le partage des richesses est Karl Marx, de confession juive. Quant à Léon Trotski, il est né dans une famille juive. Bien sûr, Hitler leur reproche autre chose ! Il clame que la révolution communiste est un complot juif ! Pourtant, Staline, qui dirige l'URSS, n'est pas juif, pas plus que les autres dirigeants communistes dans le monde, Ernst Thälmann en Allemagne, Maurice Thorez en France. Et Albert Einstein, le plus grand scientifique de tous les temps, né en Allemagne, faudrait-il le haïr parce que ses parents ont grandi dans la religion juive ? Et Sigmund Freud aussi, peut-être ? Tu sais, je t'en ai parlé, c'est lui qui guérit les gens avec les mots, il apprend à comprendre les rêves, il a découvert que nous gardions tous nos souvenirs en nous, même ceux que nous pensons avoir oubliés. Hitler voudrait interdire les livres de ces grands hommes, renoncer à leurs découvertes, c'est un illettré superstitieux, obsédé par des forces obscures qui n'existent pas. Il ressemble aux barbares qui imaginaient des ogres dans les bois et aimaient guerroyer, piller les villages. Il est plus bête que les Grecs d'il y a trois mille ans. Mon petit Bürschi, souviens-toi bien que tu ne dois jamais avoir honte de qui tu es.

Rosie a acheté un exemplaire de *Mein Kampf* et me le montre. C'est le livre qu'a écrit Hitler, le livre de sa vie. Elle a souligné des phrases au fil des pages.

– Je n'ai jamais rien lu d'aussi détestable que cet ouvrage, mon petit Bürschi. Mais ne t'en fais pas. Nous, les spartakistes, nous lui ferons mordre la poussière.

Je me serre contre elle et elle m'embrasse le front.

*
* *

C'est aujourd'hui la rentrée à la Gebeleschule, ma nouvelle école. J'ai peur de n'y connaître personne et de ne plus avoir de copains. Heureusement, maman m'a assuré que j'y retrouverais Ralph. Les oiseaux m'ont réveillé tôt ce matin. Rosie avait déjà préparé mes affaires la veille, pliées sur la commode. Au pied de la chaise en osier, je vois mon nouveau cartable, identique à celui de mon père, en plus petit. Brillant, il reflète la lumière du jour levant. Je regarde par la fenêtre. Dans la rue, un garde fume une cigarette devant la Mercedes d'Hitler. Je n'avais jamais remarqué qu'elle avait un phare au milieu de la calandre, tel l'œil du cyclope dans les aventures d'Ulysse. Rosie assure qu'Hitler a écrit son livre avec son chauffeur, preuve qu'il s'agit d'un mauvais livre. Est-ce le même homme qui fume en bas de ma maison ?

J'entends du bruit dans la cuisine où se prépare mon chocolat chaud. L'odeur du pain grillé s'est glissée sous la porte, je la suis jusqu'à Rosie.

Maman m'accompagne à pied à la Gebeleschule. Des enfants, escortés de leurs mères et gouvernantes, attendent devant le portail. Ralph est avec sa mère. Elle porte une robe verte, des talons hauts, un chapeau parme avec une plume assortie à ses lèvres rouge foncé. Elle ôte un gant et serre la main de maman. Nous les laissons. Il nous faut rejoindre ceux de notre groupe alignés en rang face à la porte, au fond de la cour. Nous avons de la chance d'être dans la même classe. Je tiens fermement la poignée de mon cartable de cuir.

Notre maîtresse s'appelle Fräulein Weikl. Pleine d'enthousiasme, elle sourit beaucoup, virevolte d'une table à l'autre, dessine au tableau, efface, dessine encore. Elle est jolie, ses cheveux sont encore plus blonds que ceux de Ralph, presque blancs. Ses yeux sont si bleus qu'ils paraissent éclairés de l'intérieur. Elle est bien plus jeune que ma mère, on dirait une grande sœur. Ralph n'est pas assis à côté de moi, nous nous retrouvons à la récréation et nous sortons de l'école ensemble. Rosie est là avec mon goûter, elle embrasse Ralph, puis nous le regardons partir à l'arrière de sa voiture de marque anglaise, une Rolls-Royce.

*
* *

C'est l'anniversaire de Ralph cet après-midi. Nous avons reçu le carton d'invitation par la poste. Il était écrit que le goûter commencerait à 15 heures et se terminerait à 18 heures. À 15 heures précises, j'étais avec Rosie devant la porte de la villa, un grand portail vert qui donne sur la rue. Nous sommes entrés. On entendait nos pas crisser sur les graviers. La villa était entourée d'un grand jardin fleuri et de larges marronniers cachaient les fenêtres du haut. Sur la pelouse était dressée une table recouverte d'une nappe blanche où patientaient des tartes, des gâteaux et des jus de fruits. Des enfants inconnus se poursuivaient dans le jardin. Je tenais toujours la main de Rosie. Un escalier menait à l'intérieur de la maison. Nous sommes entrés. Intimidé, je fixais le sol de l'entrée : des damiers de marbre noir et blanc. La porte du salon était ouverte, une dame nous tournait le dos, jouant du Mozart sur un piano à queue, le menuet que je sais exécuter sans faute. Au fond de la pièce, une vieille harpe somnolait à côté de la tapisserie dont Ralph m'avait parlé : Narcisse se mirant dans l'eau juste avant qu'il se noie, la nymphe Écho tentant de le retenir en bordure d'un sous-bois. Le salon m'a rappelé celui de Frédéric II le Grand, reconstitué dans *Le Concert de flûte de Sans-Souci*[1]. À la fin du film, l'ami de Frédéric était exécuté sur l'ordre de

1. *Das Flötenkonzert von Sanssouci.*

son père. Ma sœur Dorle avait adoré, elle avait dit que l'actrice, Renate Müller, était belle comme Marlene Dietrich…

Ralph est apparu. Il a voulu serrer la main de Rosie, mais elle l'a embrassé comme d'habitude. Il m'a pris par l'épaule et m'a entraîné pour me présenter à ses parents. Ils étaient assis au fond du salon, en compagnie de ses grands-parents, un vieil homme ressemblant au maréchal von Hindenburg, et une dame petite et maigre comme une momie. Sa mère m'a d'abord salué en souriant, elle m'a tendu la main et m'a vouvoyé. Son père était à son côté. Il a été aviateur pendant la guerre et Ralph m'avait promis qu'il me raconterait ses aventures.

– Ralph, présentez-nous votre petit ami… Comment vous appelez-vous, monsieur ?

– Edgar…

– Montrez à votre petit ami comment on me salue ici.

Ralph lui a déposé un baiser sur le bout du nez. Je l'ai imité. Son nez était froid.

– Papa, pourriez-vous nous raconter vos combats aériens ? J'ai promis à Edgar que vous le feriez.

Et son père nous a raconté toutes sortes d'histoires, comment il avait lui-même mis au point son premier avion, le faisant décoller dans un champ en contrebas de leur château à la campagne. Il nous a décrit les combats aériens : il avait découvert une façon de détecter les ennemis à distance, lorsqu'ils étaient cachés plus haut derrière les nuages, à contre-jour du soleil. Il emmenait avec lui un dindon qui glougloutait lorsqu'un avion ennemi approchait. Le père de Ralph avait été fait prisonnier. Il avait été bien traité chez les officiers français et il y avait retrouvé un ami d'enfance, Robert de B., qui l'avait invité à son mess le soir. Il y avait pris de l'embonpoint et perfectionné son français. Il nous a parlé de la France, de sa cuisine, nous en a décrit les desserts succulents aux noms bizarres : éclairs, religieuses, nègres en chemise… Il se rend encore souvent en France pour ses affaires. Il nous a raconté les rues de Paris, la tour Eiffel, Notre-Dame, le Louvre et nous a promis de nous y emmener. Nous irons en wagon-lit ou à bord d'un zeppelin. Il m'a demandé ce que faisait mon père. Quand je lui ai dit qu'il était éditeur, et que mon oncle Lion était écrivain, j'ai vu qu'il les connaissait. Il n'a rien ajouté pourtant, et m'a demandé si j'aimais lire. Je lui ai répondu que j'adorais les livres, il a conseillé à Ralph de prendre exemple sur moi, puis nous a parlé d'écrivains français. Son préféré était Marcel Proust, dont il a été l'ami dans sa jeunesse. Je connaissais ce nom. Mon père en a parlé souvent à la maison ainsi que de Walter Benjamin. Je lui ai demandé si les deux écrivains étaient liés.

– Oh ! Monsieur est connaisseur. En effet, c'est presque cela. Ils ne se sont pas connus car Proust est mort peu de temps après la guerre. Mais Walter Benjamin vient de traduire son œuvre, avec Franz Hessel, si je ne m'abuse. Ralph, vous devriez vous intéresser à la littérature.

Je rougissais. Ralph, lui aussi, était un peu gêné. Alors j'ai prétendu que Ralph était meilleur que moi en lecture.

*

* *

Aujourd'hui nous n'avons pas cours et Rosie m'emmène au cinéma dans une grande salle aux fauteuils en velours rouge : nous allons voir *Jeunes filles en uniforme*[1] – un film parlant ! Les lumières se sont éteintes, la musique a empli la salle, et l'écran s'est animé. L'histoire se déroule dans une pension de jeunes filles, en Prusse. Elles ont l'âge de Dorle. C'est une histoire bizarre. J'ai l'impression d'avoir le ver-

1. *Mädchen in Uniform.*

tige. Le centre du pensionnat est un escalier intérieur aussi haut qu'un immeuble. Chaque étage ouvre sur l'escalier. Les jeunes filles se parlent d'un palier à l'autre, au-dessus du vide. L'héroïne boit de l'alcool, dit à sa professeure qu'elle l'aime, puis tente de se suicider en passant de l'autre côté de la balustrade. Elle s'évanouit et lâche prise, on la retient avant qu'elle chute. Les élèves chahutent et se liguent et luttent contre les professeures trop sévères.

En sortant, je me dis que demain je proposerai à Ralph de nous liguer, comme dans le film. Pour l'instant, nous avons rendez-vous avec mon père au Fürstenhof, un café sur la Kaufingerstrasse. Nous le retrouvons au premier étage dans un nuage de fumée piquante et un brouhaha de voix masculines. Il vient tous les jours ici boire un café avec de la crème Chantilly et lire la presse étrangère. Il me traduit les journaux étalés devant lui : le *Corriere della Sera* italien, *Le Temps* suisse, le *Times* anglais. Sur les grandes pages, tenues par des bâtons en bois, je découvre en photo les foules qui sont passées devant la maison l'autre jour, Hitler, Mussolini. Rosie m'a déjà parlé de ce dernier et je dis tout de suite son nom à voix haute. Je reconnais Joseph Staline et Hirohito, l'empereur du Japon.

– Souviens-toi toujours de ces photos, Bürschi, me dit papa.

*
* *

Je me sens grand, j'ai déjà neuf ans. L'année prochaine, je pourrai aller tout seul à l'école. Chaque jour je retrouve Ralph et nous parlons de tout. Ce matin, je lui ai raconté l'histoire du film. Nous avons scellé un pacte. Quoi qu'il arrive dans la vie, nous serons toujours amis. Je lui ai dit mon secret sur Rosie. Il m'a juré qu'il ne le répéterait jamais. Lui aussi veut être spartakiste. Avec les copains, nous avons joué toute la journée à la révolte des esclaves. Puis la maîtresse m'a fait passer au tableau pour réciter un poème de Goethe, dont on célèbre le centenaire de la mort cette année. J'ai bien révisé la poésie avec Rosie : c'est l'histoire d'un garçon, un apprenti sorcier, dont le maître est parti. En son absence, il fait ce qu'il n'a jamais le droit de faire. Il use de ses pouvoirs et donne vie aux objets de la cuisine, mais bientôt ceux-ci ne lui obéissent bientôt plus et cassent tout autour de lui. Pour les arrêter, il décide de les détruire avec une hache, qui me fait penser à la *Fallbeil* du Vampire de Düsseldorf et à la mort de Frédéric II, exécuté à la hache dans *Le Concert de flûte de Sans-Souci*. En récitant, je pense aux mots que je prononce, je vois des images. La poésie me rappelle le livre de Thomas Mann posé sur le bureau de papa, *Mario et le magicien*. Rosie m'en a parlé. Le magicien, un hypnotiseur, est en fait Benito Mussolini, le dictateur. Comme lui, Hitler est « un maître de l'hypnose », m'a dit Rosie.

La maîtresse me félicite, je m'aperçois que j'étais ailleurs. Ça m'arrive souvent. Je retourne à ma place. Ralph me regarde. À la récréation, tandis que nous jouons dans un coin de la cour, je lui raconte l'histoire de *Mario et le magicien*, je lui parle de Benito Mussolini et d'Adolf Hitler. Ce dimanche, il y aura encore des élections. Elles remplissent les conversations à la maison. Chez Ralph aussi on parle beaucoup d'Hitler. Il me demande ce que cela fait d'être juif.

– Rien du tout. Sauf si on m'en parle. C'est comme si ça me faisait un peu honte. Je sais que je ne devrais pas être gêné, car c'est simplement une religion comme une autre. D'ailleurs, je ne sais pas encore si je suis juif. J'aime beaucoup Jésus. Bien que je ne sois pas certain de croire en Dieu, ou, plutôt, d'avoir choisi celui que je préfère : tu sais, au temps des Grecs, il y avait des dizaines de dieux. Je préfère être spartakiste, après tout ! Sans dieu ni maître !

– Moi aussi. Spartakistes ! Pour la révolte des esclaves !

Ralph me confie alors son secret. Ses parents vont voter pour Adolf Hitler.

1933

Bien qu'alors Vienne comptât près de deux cent mille Juifs sur deux millions d'âmes, je ne les remarquais pas. Mes yeux et mon esprit ne furent pas pendant les premières semaines de taille à supporter l'assaut que leur livraient tant de valeurs et d'idées nouvelles.

Ce n'est que lorsque peu à peu le calme se rétablit en moi et que ces images fiévreuses commencèrent à se clarifier que je songeai à regarder plus attentivement le monde nouveau qui m'entourait et qu'entre autres je me heurtai à la question juive.

Adolf HITLER, *Mein Kampf*, au sujet de ses années d'étudiant à Vienne

Nous étions à la maison. Maman jouait un morceau de Haendel et s'accompagnait en chantonnant au rythme de ses doigts. C'était

La Sarabande, une musique lente qui s'étire. Puis elle a joué l'un des morceaux qu'avait interprétés Elly Ney au concert où elle m'avait emmené. Elly Ney est une femme pianiste, l'une des plus célèbres au monde. Dans la salle, je devais être le plus jeune des spectateurs, je connaissais pourtant tous les morceaux qu'elle a interprétés : la *Marche turque* de Mozart, la *Sonate au clair de lune* de Beethoven... Maman m'a laissé la place au piano et c'est moi qui ai joué. J'ai choisi un air de Haendel, *Passacaille*, un morceau qui monte, descend puis accélère. Maman m'a dit que je serai un grand pianiste un jour, comme Edwin Fischer, que nous avions entendu en concert la veille. Elle me passait la main dans les cheveux, me caressait la nuque. La porte s'est ouverte et, soudain, papa nous a annoncé :

– Hitler a été nommé chancelier.

J'ai cessé de jouer un instant, et j'ai repris en écoutant la conversation. Rosie s'est approchée, Tante Bobbie est descendue avec le duc. Personne ne disait rien. J'ai repris *La Passacaille*. Mon père a dit qu'il venait de parlerau téléphone à oncle Lion, en voyage à l'étranger : un ambassadeur lui conseillait de ne pas rentrer en Allemagne pour l'instant. Papa m'a demandé d'aller dans ma chambre car il était tard. Au pied de mon lit, j'ai continué de construire mon avion Märklín, un chasseur qui repose maintenant sur la commode de ma chambre.

Depuis deux jours, les événements se sont précipités à Berlin, où habite ma sœur. Je l'ai lu dans le *Münchner Neueste Nachrichten*, dont papa connaît le directeur. Papa et maman parlent tout le temps de cela et ne m'empêchent plus d'écouter :

– Hindenburg l'a autorisé à prendre Göring comme ministre de l'Intérieur, tu sais, l'aviateur irascible. Une heure plus tard, il interdisait les manifestations et exigeait de contrôler toutes les publications du pays. C'est incompréhensible ! On se croirait revenu en temps de guerre ! Le vieux maréchal a accepté que les maudits SA de ce fou de Röhm, ces bandes de malfrats déguisés en militaires, deviennent des auxiliaires de la police. Des bandits chargés de faire respecter l'ordre, c'est un comble ! Mais pourquoi ? Je n'arrive pas à y croire ! Et tu sais combien ils sont ? Trois millions, dont cinquante mille maintenant considérés comme de vrais policiers. Eux qui ont assassiné plus de cent personnes l'année dernière !

– Mais, mon chéri, ne penses-tu pas que ces excès sont le fait de l'entourage d'Hitler ? Cela va certainement se calmer, non ? Une fois qu'ils auront pu fanfaronner dans la rue, il va bien falloir qu'ils gèrent le pays, comme les autres avant eux. Ils seront confrontés aux mêmes problèmes. Tout ne se règle pas à coups de gourdin ! Et tout redeviendra comme avant. Ne crois-tu pas qu'une fois nommé Hitler rentrera dans le moule ? Il lui faudra bien suivre les règles imposées par la Société des Nations. Les autres pays ne le laisseront pas bafouer les principes issus de la guerre sans réagir. Il le sait bien... Hitler ne peut pas être aussi incontrôlable qu'on le dit !

– Bien sûr que si ! Ses amis sont des fous dangereux sans éducation. Mais Hitler est le pire de tous. J'ai pris la peine de lire son pavé de A à Z. Et, comme le dirait Sigmund Freud, ce sont bien les élucubrations d'un hystérique. Il est paranoïaque et croit avoir découvert une formule magique permettant d'ordonner le monde. Il a une explication délirante pour chaque chose, et il estime que ses raisonnements ont une logique infaillible. Il les détaille sur des pages entières, il veut nous entraîner dans les méandres de son esprit tortueux, et je t'assure qu'il n'y a rien de rationnel là-dedans. C'est terrifiant. C'est vraiment l'œuvre d'un esprit dérangé, mégalomane. Curieusement, c'est si fou que je ne peux m'empêcher d'en rire en le lisant.

– Nous devrions quitter l'Allemagne, peut-être ?

– Partir ? Les nazis seraient bien contents. Mais où irions-nous ? Qui nous accueillerait ? Il nous faudrait un visa de travail du pays où nous voudrions aller. Nous ne pouvons tout de même pas nous installer clandestinement n'importe où ! Avec la crise économique, on accuse partout les étrangers de prendre le travail des autres, on chasse les illégaux pour endiguer la montée de l'extrême droite. Nous serions des étrangers sans papiers, comme tous ceux qui ont déjà fui l'Italie de Mussolini, ou la guerre civile en Espagne. Les républicains s'y déchirent dans la rue avec les fascistes. La guerre civile… c'est le pire… Partir ainsi nous coûterait une fortune, nous perdrions tout, nos économies fondraient en quelques semaines sans travail. Et de quoi vivrions-nous ? Et Bürschi qui commence à peine sa scolarité, où irait-il à l'école ? En France ? En Angleterre ? Il ne parle pas un mot de français, ni d'anglais… Imagine-le en attente pendant des mois dans un camp. Tu nous vois, apatrides, derrière des barbelés, à patienter que l'on tamponne nos papiers ?

– L'Amérique ?

– Mais c'est si loin ! Et ils donnent les visas au compte-gouttes de toute façon. Et là-bas, impossible de faire croire que l'on vient en vacances puis d'y rester définitivement. Ils sont draconiens à l'embarquement et à l'arrivée. C'est très compliqué.

– La Palestine ? Beaucoup de Juifs partent s'y installer...

– Mais c'est le désert, ma chérie. On y vit dans le sable, comme les Bédouins. Et que diront les Arabes le jour où ils sauront que des Allemands se sont installés sur leurs terres parce qu'on ne voulait pas d'eux dans leur pays d'origine ? En Palestine aussi les antisémites sont au travail ! De toute façon, il y fait trop chaud l'été et trop froid l'hiver. Il me faudrait cultiver la terre, tu devrais t'occuper d'une ferme, nourrir des poules. Tu pourrais dire adieu à tes toilettes, au piano et aux concerts. Et rien ne dit que les Juifs obtiendront un jour l'indépendance de ce protectorat britannique. Quand bien même ils l'obtiendraient, je me demande combien de temps ils pourraient la conserver. Dans le désert aussi les hommes sont prêts à se battre pour planter le drapeau de leur nation sur le lopin de terre de leur voisin.

– Mais je ne sais pas, il doit bien y avoir une solution...

– Si nous étions tous les deux, seuls, oui. Mais nous sommes une famille. J'ai tout envisagé : la Suisse, la Tchécoslovaquie, la Hollande, tout. Quel que soit le pays, c'est au-dessus de nos moyens. Qui nous dit que ces pays ne basculeront pas dans le fascisme ? Les États sombrent les uns après les autres : l'Italie, le Japon, maintenant l'Espagne. Les fascistes sont de plus en plus nombreux partout, en France, aux États-Unis…

– Ici, c'est le pire. On raconte que les nazis ont prévu de construire des camps pour y interner ceux qui s'opposeraient à leurs idées.

– Ils ne parlent pas des Juifs, seulement des communistes. Les camps sont pour les opposants politiques. Rassure-toi. Il nous faut juste attendre les prochaines élections. Les gens en auront bientôt assez de l'autorité. Tout le monde veut la paix. Chacun aime lire les journaux, voyager, se promener. On dit déjà que les nazis n'auront pas la majorité aux élections parlementaires du 5 mars. Ils seraient en chute libre !

Je joue dans ma chambre. C'est tout le temps éteint en ce moment chez Hitler. Depuis qu'il est chancelier, il y a en permanence des gardes en bas de l'immeuble. J'ai joué avec les cadeaux que j'ai reçus à Noël avant de lire tout seul dans mon lit les histoires écrites par Karl May, un explorateur qui voyage en Arabie saoudite, au Yémen. J'aimerais partir dans un pays lointain. Pourquoi mon père dit-il que nous n'y serions pas heureux ? Je traverserai le désert à dos de chameau, à la queue leu leu au sein d'une caravane, d'oasis en palmeraies. Je verrai des mirages et des châteaux de sable. Je rêve de m'habiller en Bédouin, posséder un sabre recourbé et chevaucher un pur-sang au grand galop. Je rêve que je dors à la belle étoile, sur une dune de sable fin.

*
* *

Hitler est chancelier depuis trois semaines et les élections sont dans cinq jours. On va voter pour élire les nouveaux députés du Reichstag. Oncle Lion préfère attendre les résultats avant de rentrer en Allemagne. Tout le monde annonce que les nazis perdront.

Dans le *Münchner Neueste Nachrichten* ce matin, on voit les photos d'un immeuble en feu. C'est le Reichstag justement.

– Heureusement que ce n'est pas un Juif, dit papa.

– Pourquoi dis-tu ça ? demande maman.

– Mais tu n'es pas au courant ? Tu n'as pas

lu les articles ? On ne parle que de cela. On a arrêté l'homme qui a mis le feu, Marinus Van der Lubbe, un communiste néerlandais d'à peine vingt-cinq ans. Dès le lendemain, Hitler en a profité pour abroger toutes les lois libertaires. Au nom de la protection de la démocratie, bien sûr. Il prétend que l'Allemagne est menacée par les terroristes, les communistes et les étrangers. Selon lui, cet incendie aurait été le signal pour le lancement d'une vaste insurrection. Hindenburg a signé le jour même un décret présidentiel « pour la protection du peuple et de l'État ». Je te lis le journal ? Écoute ce résumé : « L'article 1 suspend la plupart des libertés civiles garanties par la république de Weimar – liberté des personnes, liberté d'expression, liberté de la presse, droit à l'association et aux réunions publiques, confidentialité des postes et téléphones, protection du domicile et des propriétés. Les articles 2 et 3 transmettent au gouvernement du Reich certaines prérogatives normalement dévolues aux Länder. Les articles 4 et 5 établissent des peines très lourdes pour certains délits particuliers, notamment la peine de mort pour l'incendie de bâtiments publics. Et l'article 6 dispose que le décret prenait effet le jour de sa proclamation. »

– Mais ils ne peuvent pas faire ça sans l'approbation du Parlement ?

– Hitler a fait un discours devant les députés. Évidemment, personne ne souhaitait être rangé dans le camp des terroristes ennemis de la démocratie. L'assemblée tout entière s'est levée quand il a entonné l'hymne national. Il est machiavélique. Et manichéen : être contre ses idées reviendrait, selon lui, à soutenir le terrorisme. Il brandit sans cesse le danger d'une révolution bolchevique. C'est imparable. Résultat, ses sbires sont déjà en train d'arrêter à tour de bras chez les communistes. Des amis m'ont appelé. Même Ernst Thälmann est en fuite !

– Le chef du KPD, le parti communiste ? Mais six millions d'Allemands viennent de voter pour lui…

– Ils vont l'arrêter. Je peux te garantir que si ce Marinus avait été juif, les synagogues du pays seraient déjà toutes à feu et à sang.

– Alors ?

– Alors c'est la fin de la république de Weimar, la fin de la république tout court.

Je n'ai plus envie d'écouter les adultes, ils sont assommants. À l'école, Ralph m'a dit que c'était pareil chez lui. Il n'a plus envie d'écouter non plus. Nous jouons ensemble à inventer un monde sans guerres ni frontières. Quand dans la cour les enfants jouent à se battre, nous nous mettons à part. Nous nous asseyons l'un à côté de l'autre et nous lisons les livres de Karl May. Un jour, nous partirons voyager ensemble, sans prévenir nos parents. Ils seront impressionnés et fiers lorsque nous reviendrons célèbres, suivis d'une cohorte de serviteurs chargés de cadeaux exotiques... Mais quand je rentre à la maison, l'humeur est triste. Avant, papa jouait avec moi, il se mettait à quatre pattes, je montais sur son dos, il me renversait et me chatouillait. Mais il n'a plus envie. Il se fâche facilement. Ma mère a l'air fatigué, elle dit que la vie est difficile.

Je les espionne, caché derrière la porte de ma chambre. Je les vois par l'entrebâillement. Ils parlent de Thomas Mann.

– Il est avec Lion, en France.

– Dans le Sud, à Sanary ?

– Oui. Les nazis sont passés chez Lion. Ils ont tout saccagé, brisé les fenêtres, renversé les bibliothèques, comme des Huns. C'est une ruine. La poésie de ce petit monde si précieusement créé s'est évanouie d'un coup. Ils en ont fait autant chez Thomas Mann.

– Mon Dieu ! Mais pourquoi Thomas Mann ? Il n'est ni juif ni communiste, pourtant...

– Non, mais c'est un « décadent », une tare presque aussi grave que celle d'être « dégénéré », comme nous le sommes aux yeux de ces fous.

*
* *

Je n'aime pas quand mes parents sortent le soir, j'ai peur qu'ils ne reviennent pas, qu'on les arrête et qu'on les enferme dans un camp. Rosie m'a dit que l'on avait arrêté Ernst Thälmann, le chef de son parti, ainsi que beaucoup d'autres de ses amis. Ils ont été parqués dans des baraquements, à Dachau, non loin de Munich.

*
* *

Rosie est venue me chercher à l'école comme tous les jours. Elle avait un goûter dans son panier. Il faisait bon, nous sommes allés le manger dans le parc. J'ai eu le droit de faire un tour de balançoire. Des militaires marchaient par petits groupes, portant tous le brassard à la croix gammée. Leurs pas faisaient un bruit régulier, comme un claquement de tambour, ou un coup de marteau sur une enclume. On entendait les petits cailloux écrasés sous leurs bottes. Rosie tournait les yeux vers moi lorsque l'un d'entre eux regardait dans notre direction. Au retour, elle ne parlait pas. Maman était à la maison mais elle ne m'a pas fait faire mes devoirs, elle a demandé à Rosie de s'occuper de moi. Je n'ai pas eu mon câlin, et maintenant je suis au lit. J'aurais aimé jouer un peu après le dîner mais je n'ai pas eu le droit. Je ne sais pas ce qu'il y a aujourd'hui, tout est différent. Des voitures passent dans la rue. Des portières claquent. J'entends papa et maman qui bavardent dans le salon.

– Ils ont mis une croix gammée géante sur la façade de la mairie. Il est chancelier depuis un mois à peine, et il ose déjà décorer la ville aux couleurs de son parti, dit papa. Je ne comprends pas. C'est totalement illégal. Mais ce n'est pas le pire. Ce sont maintenant les SS[1] qui dirigent la police de Munich. Hitler a ordonné que tous les pouvoirs soient confiés à Himmler, le chef de son service d'ordre. Ils ont officiellement annoncé que cette nouvelle police déclarait la guerre aux communistes, aux

1. *Schutzstaffel* : Escadron de protection.

marxistes… et aux Juifs. Ils en ont arrêté aujourd'hui. Ils débarquent en bandes dans les boutiques, cassent tout, et embarquent employés et propriétaires. Nous vivons un cauchemar.

*
* *

Aujourd'hui encore l'ambiance est triste. Maman n'a pas voulu m'aider à faire mes devoirs. Elle m'a confié à Rosie. Nous sommes dans la cuisine. C'est l'heure du goûter. J'en ai assez que maman ne soit pas avec moi. Je voudrais jouer du piano sur ses genoux. Dans la pièce d'à côté, mes parents parlent du père de Beate Siegel, mon amie d'enfance avec qui nous chassons les papillons et les sauterelles l'été sur les lacs.

– … c'est un de ses clients, M. Uhlfelder, dit papa. Les nazis ont détruit son magasin hier, juste après avoir pris le contrôle de la police, et ils l'ont emmené. On ne sait pas où il est. Michael est allé au commissariat ce matin pour le faire libérer. Depuis, on n'a plus de nouvelles de lui non plus.

Le nez dans mon bol de chocolat, j'entends ma respiration. Je regarde les couleurs que prend le lait. Je n'ai pas envie d'avaler la peau. Il fait beau aujourd'hui. Heureusement, mes parents sont là. Peut-être qu'ils vont tuer le père de Beate. Rosie ne dit rien.

Je fais mes devoirs, prends mon bain, dîne. Je lis une histoire au lit. Il fait encore jour dehors. Le téléphone a sonné toute la soirée. J'entends la voix de papa dans le salon. Je sais qu'il parle du père de Beate, M. Siegel.

– … et là, une bande de SA a emmené Michael dans un petit bureau. Ils l'ont roué de coups et lui ont brisé deux dents. Ils ont déchiré son pantalon, puis ils lui ont mis une pancarte autour du cou, sur laquelle ils ont écrit : « Je suis juif et je ne me plaindrai plus jamais à la police », et ils l'ont obligé à sortir ainsi dans la rue. Ils l'ont contraint à marcher pieds nus toute la journée dans Munich, ils l'ont promené, comme un esclave, une bête de foire, une curiosité. Les badauds regardaient. Puis ils lui ont appuyé le canon d'un fusil sur la tempe, et, sans explication, ils l'ont laissé partir en riant. Il a pu prendre un taxi et rentrer chez lui. Il est au lit. Vivant.

*

* *

Le frère de maman nous a envoyé par la poste un magazine français, *L'Illustration*. Sur la couverture, on voit des enfants anglais dans la rue. On dirait qu'ils jouent à la marelle. Au sol est écrit à la peinture blanche, en anglais : « *Boycott German Goods. Open Palestine.* » Papa me traduit :

– « Boycottez les marchandises allemandes. Ouvrez la Palestine. »

Il me montre tout le journal. On voit des photos de militaires, une parade de la Reichswehr[1] dans la cour du palais royal, au Lustgarten, à Berlin. Le texte dit que « des batteries ont tiré des salves d'honneur devant la cathédrale ». Je regarde les canons montés sur des camions.

– C'est la fin de la république, Bürschi. Regarde bien attentivement, tu ne dois pas oublier.

Sur la page suivante, on voit une grande photo de l'intérieur de l'église de Potsdam. Il lit une phrase tout haut :

– « Voici l'effondrement de la république de Weimar et l'avènement du "IIIe Reich". »

On voit Hitler, tout petit, debout face à un pupitre. Je le reconnais. Je distingue tout de suite le maréchal Hindenburg assis devant lui. Papa lit la légende :

– « La séance d'ouverture du nouveau Reichstag dans l'église de la garnison, à Pots-

1. Force armée du Reich.

dam, le 21 mars. À droite, les loges d'honneur occupées par les personnalités de marque ; au fond, les députés hitlériens en chemise brune ; au premier plan, les députés du centre catholique et des partis bourgeois ; au centre dans l'enceinte réservée aux membres du gouvernement, le chancelier Hitler lisant son discours devant le président von Hindenburg, en uniforme de maréchal. »

Sur la page de gauche, sur une photo plus petite, des soldats avec des brassards nazis se saluent mutuellement.

– Tu vois, ils sont devant l'entrée de l'Opéra Kroll, à Berlin, où s'est installé le parlement provisoire. Cette photo a été prise deux jours après celle-ci, il y a deux semaines.

Et il lit le texte à maman. Je ne saisis pas tout, j'écoute. J'aime la voix qu'il prend quand il fait la lecture, toute douce.

– « Contrairement à l'usage, ce ne fut point le doyen d'âge, mais le président Göring qui prononça le discours d'ouverture. En l'absence de toute opposition, le plus grand ordre régna et l'élection eut lieu sans le moindre incident. C'est dans la même enceinte que, le 23 mars, le chancelier donna lecture de sa déclaration de gouvernement. Ce long document n'a plus les violences de langage du chef du parti. Aussi bien toutes ces démonstrations parlementaires n'avaient-elles pour objet que d'amener le dépôt d'un projet de loi conférant au gouvernement les pleins pouvoirs. Ce projet délègue à l'exécutif toutes les prérogatives appartenant jusqu'ici au législatif : droit de légiférer même en matière budgétaire, de modifier la Constitution ; les rapports normaux entre le président d'empire et le Parlement sont supprimés et c'est le chancelier qui promulguera les lois. Au Reichstag, il n'appartiendra plus que de ratifier les traités. Ce régime d'exception est prévu pour une durée de quatre ans, jusqu'au 1er avril 1937. Le vote a été acquis par quatre cent quarante et une voix contre quatre-vingt-quatorze sur cinq cent trente-cinq députés, les quatre-vingt-trois communistes ayant été exclus de l'Assemblée et une douzaine de socialistes étant en prison. Le Reichstag s'est ensuite ajourné *sine die*. Désormais, le chancelier Hitler exerce donc une dictature sans contrôle. »

Sur une autre photo, on voit des hommes marcher dans une cour.

– « La promenade des prisonniers politiques allemands dans la cour de la préfecture berlinoise », lit papa.

– Et ils ne disent rien sur les Juifs ? demande maman.

– Si, si : « La campagne antisémite s'est également poursuivie avec une telle violence que de nombreux Israélites, appartenant surtout aux milieux intellectuels, ont cru devoir quitter l'Allemagne et que dans le monde entier, notamment aux États-Unis et en Angleterre, leurs coreligionnaires ont pris l'initiative d'un mouvement de protestation appelé, sans doute, à une grande extension. »

– C'est tout ?

– Oui, c'est tout.

Maman a l'air déçu. Elle prend le journal, tourne les pages, comme si elle cherchait quelque chose. Ses yeux sont rouges. Elle repose le journal et va dans sa chambre.

*
* *

Depuis qu'Hitler est le chef de l'Allemagne, Fräulein Weikl est différente à l'école, elle nous parle beaucoup de lui. Cette semaine, nous avons commencé un nouveau cahier. Tous les jours, elle va nous y faire dessiner. J'aime colorier mes dessins. J'ai un plumier dans lequel sont rangés des crayons de couleur, un crayon noir et un porte-plume. Je pose l'encrier dans un petit trou au bout de ma table. Je voudrais commencer sans attendre !

– Ce cahier est comme une nouvelle vie qui commence pour nous et pour l'Allemagne, a dit Fräulein Weikl.

*

* *

C'était aujourd'hui le 1er Mai, la fête des Travailleurs. Rosie y retrouve chaque année ses camarades. Ils vont parader dans les rues, leurs provisions sous le bras, et le soir ils dansent joyeusement. Des orchestres jouent des airs heureux, des lampions illuminent les places sur lesquelles on installe des tables et des bancs pour festoyer.

Pour la première fois, cette fête n'a pas eu lieu : Hitler l'a remplacée par une autre célébration, celle de son parti. Fräulein Weikl nous a dit que dorénavant ce serait « la fête des vrais travailleurs, ceux qui aiment leur pays, pas les fainéants qui ne veulent jamais rien faire ». Et elle nous a proposé de composer un dessin sur ce sujet. J'ai sorti mon nouveau cahier de mon cartable, je l'ai ouvert bien à plat et je me suis inspiré du dessin que la maîtresse avait fait au tableau. J'ai d'abord dessiné, soigneusement, un grand marteau, le symbole des communistes. À l'intérieur du marteau, j'ai inscrit « 1er Mai ». Puis j'ai tracé une grande croix gammée. Elle recouvrait totalement le marteau. J'ai colorié le tout au crayon. C'est mon plus beau dessin. Je crains de le montrer à Rosie, de peur de lui faire de la peine. On dirait que les nazis ont gagné la guerre contre les spartakistes.

*

* *

Nous écrivons et dessinons tous les jours. Fräulein Weikl dit que j'ai une des plus belles écritures de la classe. On écrit en gothique, avec des lettres bouclées, des lettres sérieuses. Elle nous donne des cours d'histoire et de géographie. Je comprends mieux la guerre maintenant. J'ai dessiné un aigle superbe, une croix celtique, et j'ai écrit : « 1914-1918 ». On dirait une vraie affiche. J'ai fait une carte de l'Allemagne, sans oublier les régions que les pays étrangers nous ont volées. Nous avons perdu la guerre. À quatre contre vingt-sept, le combat était inégal, nos ennemis se sont conduits comme des lâches ! Tous les jours nous en parlons. Nous avons tous tracé de grands tableaux dans nos cahiers afin de compter le nombre de combattants blessés ou morts pour la patrie dans nos familles. Une barre représentait un blessé, une croix un mort. Il y avait trois colonnes, une pour les pères, une pour les oncles et une pour les grands-pères. J'avais une barre, celle de mon oncle Berthold. J'ai levé le doigt et suis allé au tableau raconter comment il avait marché des kilomètres, combattu dans les tranchées, s'était battu le jour et la nuit sans jamais dormir, les obus tombant près de lui, tuant ses camarades ; j'ai ajouté que selon lui nous aurions dû gagner la guerre et Fräulein Weikl s'est redressée, souriante, retenant un sourire, la poitrine bombée, les yeux humides. Elle m'a félicité, la voix tremblante. Elle semblait fière de moi, et je l'étais aussi.

Je suis vraiment heureux dans cette école. Notre maîtresse est formidable. Elle est encore plus belle que Dorle, et aussi douce que ma mère, toujours gentille avec moi. J'aime la regarder. Je pense qu'elle me trouve spécial. Quand je copie une leçon, colle une image, colorie un dessin, elle passe derrière moi et regarde mon cahier par-dessus mon épaule. J'entends sa respiration. Son parfum est là, qui flotte autour de moi, et je m'y love. Elle se penche sur moi et prend ma main pour me montrer comment mieux dessiner une lettre. Ses paumes sont douces sur mes doigts. Ses cheveux sont parfumés. Dehors il fait beau et les rayons chauffent mes joues. J'ai collé l'image d'un cheval seul devant la tombe d'un soldat. On voit qu'il est triste car il a perdu son maître. J'ai tracé à la règle un cadre noir aussi propre que celui d'un vrai tableau. Le soldat aurait pu être mon oncle. Est-ce que je mourrai à la guerre ?

– L'Allemagne a dû démanteler son armée après la Grande Guerre : autrefois, nous possédions des frégates, des triplans, nous étions les plus forts… Mais nous avons été trahis, nous dit la maîtresse.

J'ai collé face à face, une sur chaque page, deux photos découpées dans un journal. La première représente la statue d'un guerrier. Devant lui s'étalent des gerbes de fleurs, des croix de guerre et des banderoles sur lesquelles sont brodés des mots d'adieu de sa famille et de ses camarades survivants. Sur l'autre page, encadrée de filets tracés à la règle en bois, j'ai collé la gravure d'une croix plantée dans un champ désolé. C'est le tombeau d'un soldat oublié, il est comme perdu dans la plaine. On voit au loin quelques arbres seuls qui ressemblent à une colonne de soldats. Ces deux images face à face sont tristes. Elles sont grises comme le ciel quand il pleut. Quand elle a vu que je les regardais, Fräulein Weikl m'a passé la main dans les cheveux.

– Toutes les semaines, nous a-t-elle expliqué, les ouvriers allemands chargent par centaines des wagons de blé, de charbon et de toutes les denrées qui pourtant nous manquent tant. Ces trains sont envoyés en France pour y nourrir nos ennemis déjà si riches. Les politiciens allemands ont dû accepter ces privations pour cesser les hostilités. Les vingt-sept pays contre lesquels nous nous battions seuls ont imposé ces conditions injustes. Nos soldats qui avaient tant souffert étaient sur le point de remporter les dernières batailles. Au chaud dans les villes, loin des combats, des politiciens allemands, lâches, avides, corrompus ont capitulé face à l'ennemi et planté un poignard dans le dos de nos héros.

Mon dessin le plus beau représente une croix gammée flottant sur un soleil levant. Sur la page d'en face, j'ai collé une photo d'Hitler devant un avion : une grande fille lui offre des fleurs ; à ses côtés, un garçon de mon âge le regarde. Hitler a l'air de sourire, il se penche vers la fillette, lui parle. Une autre fille observe la scène, envieuse. Derrière les enfants, des mamans ont le même regard admiratif que Fräulein Weikl lorsque le directeur entre dans la classe et nous complimente. Le Führer porte un brassard à croix gammée. Au crayon de couleur, j'ai dessiné vingt-cinq svastikas et un paysage au soleil levant.

Je préfère l'école à la maison. Mes parents sont énervés, ils me grondent pour presque rien et parlent de politique sans cesse. Lorsque des amis nous rendent visite, ils sont aimables en leur présence, puis s'interrogent dès leur départ : sont-ils de vrais amis ? Peut-on leur faire confiance ? Avec Ralph, à l'école nous nous posons également la question : à qui pouvons-nous faire confiance parmi nos camarades ? Certains ne sont pas aussi fiables qu'ils en ont l'air !

*
* *

Oncle Lion ne reviendra plus jamais en Allemagne. Hitler lui a retiré sa nationalité. Il a fait brûler tous ses livres. Des soldats sont allés dans les librairies, les ont pris, puis les ont entassés dans la rue en de telles quantités qu'on aurait dit des collines. Ils les ont aspergés d'essence et les ont incendiés. Il paraît pourtant qu'il est heureux en France, où il vit à l'hôtel, près de la mer, avec la famille de Thomas Mann. Ils ont créé une petite Allemagne. Franz Hessel, le traducteur de Marcel Proust, dont m'a parlé le père de Ralph, est là-bas avec eux. Maman aimerait que nous partions les retrouver.

Heinrich, le frère de maman qui, après le Jeudi noir, avait dû vendre sa villa du lac, a quitté l'Allemagne lui aussi. Il est à Paris.

*
* *

Bientôt les vacances ! Dans la cour, nous nous mettons en rang le matin, et nous devons tendre le bras longtemps en chantant l'hymne national. L'épaule s'engourdit et fait mal. Ralph a trouvé un truc, et nous l'avons répété aux autres :, nous posons le bras sur l'épaule de celui qui est devant nous. Si Fräulein Weikl approche, bien sûr, nous rectifions la position. Elle ne remarque rien. Elle passe en souriant, et nous donne des petites tapes amicales pour nous féliciter.

*
* *

Oncle Heinrich nous a prêté son chalet pour les vacances. Le temps s'accélère quand je ne suis pas à l'école. À peine levé, la journée était terminée et il fallait déjà se coucher. Les jours étaient longs pourtant, le soleil me réveillait le matin et je me couchais le soir avant lui. Nous avons pêché tous les jours avec mon père, et ma mère nous servait le fruit de notre pêche à dîner. Papa m'a aidé à construire une gigantesque cabane. Il y avait une porte faite d'un treillage de feuilles et de branches, un toit couvert de feuillage sur lequel tambourinaient les gouttes d'eau les jours de pluie. J'y ai invité mes parents pour un goûter. Je leur ai servi un jus de citrons que j'avais pressés. Nous avons gravé nos initiales dans l'écorce d'un arbre, avec des silex, comme le faisaient les hommes préhistoriques.

*
* *

Maintenant nous sommes rentrés. J'ai été content de retrouver mes copains. Nous avons comparé nos bronzages dans la cour. J'étais le plus blanc de tous. Ralph a la peau très mate. Il est blond mais ne prend jamais de coups de soleil. Fräulein Weikl nous a demandé de raconter nos vacances, chacun à son tour. Au tableau, j'ai expliqué comment accrocher un ver de terre au bout d'un hameçon, et comment fabriquer un bouchon. J'ai décrit les goujons que l'on pêchait dans le lac, j'ai dessiné un croquis pour expliquer comment attraper le vent dans une voile, border un foc et se mettre en rappel quand le bateau gîte. Mais je n'ai pas raconté l'histoire secrète. J'y repense souvent. Je ne l'ai dévoilée qu'à Ralph, en lui faisant jurer de ne pas la répéter.

Nous étions à table, en train de déjeuner, lorsqu'on a tapé à la porte du chalet. Papa a ouvert et des soldats sont entrés. C'était la Gestapo. J'ai eu peur qu'ils nous emmènent. Ils ont demandé nos papiers, maman est allée les chercher, puis ils ont demandé où étaient cachés les autres documents, ceux de Heinrich Rheinstrom, mon oncle. Mes parents se sont regardés, étonnés. Les soldats les ont bousculés et ont commencé à fouiller. Ils ont inspecté toutes les pièces de la maison. Ils ont retourné les matelas, vidé les bocaux de pois, de riz, de pâtes, jusqu'aux pots de confiture. Ils ont cherché dans les tiroirs et les armoires. Ils ont déplié les vêtements, retourné les manches des vestes et les jambes des pantalons. Ils ont posé des questions à maman sur son frère, oncle Heinrich. Maman a dit qu'elle ne savait rien, qu'il était parti sans laisser d'adresse, en lui disant simplement qu'elle pouvait utiliser sa maison en son absence. Cela a duré tout l'après-midi. Pour être aimable, maman leur a préparé des en-cas et m'a demandé de les leur apporter. Lorsqu'un sandwich est tombé la face beurrée sur le sol, je l'ai remis sur l'assiette sans rien dire. Les policiers n'ont rien remarqué en les avalant sans un mot, et j'étais fier de mon coup. Puis le plus désagréable a dit à l'autre, tout haut : « Il n'y a rien chez ces youpins. Rentrons. » Ils sont repartis, mes parents n'ont rien dit, et nous avons déjeuné en silence. La nuit tombait déjà.

*

* *

À la récréation, nous avons fait un cercle très serré autour de Thomas, le premier de la classe. Il habite dans la maison voisine de celle du photographe personnel d'Hitler, M. Hoffmann. Je connais cette villa car nous rentrons parfois ensemble avec Thomas. Un jour, nous avons vu le photographe sortir de son garage souterrain au volant d'une Mercedes grise aussi racée qu'une voiture de course. Nous étions donc tous réunis autour de Thomas dans la cour, lorsqu'il nous a dit qu'il avait vu Hitler ce dimanche. J'ai ajouté que je le voyais souvent car il habite en face de chez moi, et Thomas a crié qu'il l'avait vu d'encore plus près : Hitler bronzait dans le jardin, allongé sur une chaise longue.

– Et il ne t'a pas vu ? a demandé Ralph.

– Non, car j'étais caché derrière les arbustes qui longent la barrière de séparation entre nos deux jardins, a répondu Thomas. Il ne pouvait pas me voir.

– Un cousin de mon père a vu une amie d'Hitler toute nue, ai-je dit. Ce cousin habite en face de chez elle, et elle bronze tout le temps à sa fenêtre, son petit chien à ses côtés. Elle s'appelle Eva Braun.

La cloche a sonné et nous sommes retournés en cours.

Dans la classe, Fräulein Weikl nous a encore parlé d'Hitler. Elle nous a expliqué qu'il souhaitait que l'Allemagne quitte la Société des Nations, l'organisation pacifique à laquelle adhèrent tous les pays du monde depuis la guerre.

– Cette organisation est dirigée par nos ennemis, elle suce le sang de l'Allemagne, a dit Fräulein Weikl.

Puis elle nous a lu le texte du référendum placardé sur les murs de la ville :

– « Approuves-tu, homme allemand, et toi femme allemande, la politique de ton gouvernement, et es-tu prêt à la reconnaître comme l'expression de ta propre conception et de ta propre volonté et à te déclarer solennellement pour elle ? »

*
* *

Je suis avec ma mère. Nous passons devant le cinéma de notre quartier dont la façade est couverte de l'affiche du référendum : Hitler et Hindenburg posent ensemble comme des stars hollywoodiennes. Ce n'est pas un film qu'on joue dans la salle transformée en bureau de vote ; un attroupement s'est formé à l'entrée du cinéma, un groupe de photographes se précipitent devant un couple qui s'avance. L'homme est un petit moustachu, grassouillet, tournant sur lui-même pour pouvoir marcher, avançant comme une toupie. À son bras trottine une petite dame plus âgée, habillée en noir avec sur la tête un chapeau en forme de pot de fleurs. Les flashs crépitent, et ils rentrent dans le cinéma.

Le journal est ouvert sur la table, j'y reconnais le couple que nous avons croisé devant le cinéma. Il s'agit d'Ernst Röhm et de sa mère. Röhm est le chef des soldats nazis, les SA, que l'on voit partout dans les rues. Fräulein Weikl nous a dit que les SA étaient maintenant trois millions. Je lis le titre du journal : plus de 90 % des électeurs inscrits ont dit « oui » à Hitler. L'Allemagne va quitter la Société des Nations.

Je prie pour que le Jésus de Rosie protège notre famille.

1934

Il vint un temps où je n'allais plus, comme pendant les premiers jours, en aveugle à travers les rues de l'énorme ville, mais où mes yeux s'ouvrirent pour voir, non plus seulement les édifices, mais aussi les hommes.

Un jour où je traversais la vieille ville, je rencontrai tout à coup un personnage en long caftan avec des boucles de cheveux noirs.

Est-ce là aussi un Juif ? Telle fut ma première pensée. [...]

J'examinai l'homme à la dérobée et prudemment, mais plus j'observais ce visage étranger et scrutais chacun de ses traits, plus la première question que je m'étais posée prenait dans mon cerveau une autre forme : est-ce là aussi un Allemand ?

Adolf Hitler, *Mein Kampf*, toujours au sujet
de ses premières années à Vienne

Hitler a décrété que Munich serait la capitale des nazis. Il a décidé d'organiser chaque année une célébration : le festival de l'Art allemand. Des soldats sont venus voir les gardiens d'immeuble pour leur dire ce qu'il fallait faire. C'est le nôtre qui nous a prévenus. Funk habite un appartement sombre dont les fenêtres donnent sur les pieds des gens qui passent. De là, on voit les bas des femmes, leurs talons hauts. J'y vais parfois en rentrant de l'école. Funk et Rosie sont très amis. Nous passons souvent chez lui en rentrant de l'école, quand il n'y a encore personne à la maison. Nous nous installons dans la salle à manger, il me sert une orangeade, je les écoute bavarder. Funk a initié Rosie à la politique. Il prétend que Rosie est un faux nom en hommage à Rosa Luxembourg. En réalité, Rosie s'appelle bien Rosie. Simplement, l'histoire est plus drôle ainsi ! Il est marrant, notre concierge, tout petit, à peine plus grand que moi. Toujours vêtu d'une blouse bleue, il est partout à la fois. Quand on ouvre la porte de l'immeuble, il est derrière. Quand on arrive de l'école, il est dans le hall, un seau à la main. Il passe la serpillère dans les escaliers, cire les marches en bois et lustre le cuivre des rampes et des poignées de portes de tout l'immeuble. Il sort les poubelles et monte le courrier, il reçoit les journaux et les distribue en annonçant les titres. Il fait tout le temps des blagues et taquine Rosie. Il connaît plein de choses, nous les explique. Chez lui, il y a des piles de journaux partout. Avec Rosie, ils parlent beaucoup d'Adolf Hitler. Funk sait tout ce qui se passe chez lui. Il connaît les marques des voitures, les noms et les grades des chauffeurs et des gardes. Il a fait la guerre et sait tout sur les militaires. Il nous parle de généraux, de caporaux, de brigadiers, de galons et d'uniformes, de sabres et de fusils, de mortiers, d'avions et de frégates. Il dit que les SA sont des soldats d'opérette, sans arme ni instruction, que l'armée française est la plus puissante au monde. Sur un bureau, dans sa pièce de travail, il a disposé plusieurs armées de soldats de plomb. Ses préférés sont les soldats de Napoléon. Ce sont les plus beaux. Mes favoris sont les grognards, avec leurs hauts chapeaux noirs en fourrure. On dirait des ours de cirque. Quand il parle des batailles, des alliances, des royaumes, des républiques, des empereurs, des rois et des reines, des Présidents et des ministres, Rosie lève les yeux au ciel. Elle s'ennuie. Il suspend son récit, nous sert du chocolat et de la brioche. Il nous annonce que les nazis ont donné l'ordre à tous les habitants de la ville d'allumer des bougies aux fenêtres pendant toute la semaine. Dès le lendemain, nous avons allumé les nôtres. Les voisins du quartier en ont fait autant, des drapeaux flottaient aux fenêtres, des étendards tombaient des balcons, les passants s'extasiaient. Mes parents, eux, jugent ces décorations de mauvais goût.

– On dirait l'anniversaire géant d'un petit roi capricieux ! s'est exclamé papa.

*
* *

La nuit dernière, j'ai sursauté. J'entendais comme un roulement de tambour dans la rue : l'orage faisait vibrer mon corps dans le lit, la pluie battait les carreaux des fenêtres. Un autre bruit, plus fort encore, résonnait, un vacarme de moteurs. Des gens criaient dehors et des portières claquaient. J'ai reconnu le son des motos, les *Seitenwagen* qui transportent une sorte de landau sur le côté, appuyé sur une troisième roue, que l'on voit de plus en plus souvent dans les rues. J'ai mis ma tête sous l'oreiller et me suis rendormi. Je n'ai su qu'aujourd'hui ce qui s'était passé cette nuit. Funk et Rosie en ont parlé à l'heure du goûter : Hitler est allé en personne arrêter Ernst Röhm, le gros homme que j'avais vu aller voter avec sa maman à son bras. Funk a dit qu'il fallait vraiment faire attention maintenant. C'est dangereux pour tout le monde et plus seulement pour les communistes, pour les nazis également ! Nous avons terminé de goûter et nous sommes montés à la maison.

*

* *

Je me sens mal. Il se passe quelque chose de grave. Le duc et Tante Bobbie sont descendus chez nous. Avec papa et maman, ils se regardent sans parler. Les rideaux sont tirés. On ne voit pas dehors, et personne ne peut voir chez nous. Rosie me sert ma soupe dans la cuisine, la porte est entrouverte et je peux voir les adultes dans le salon. Ils sont debout. Papa lisse sa moustache avec les doigts, le duc ajuste son monocle et propose une cigarette à papa, il lui offre sa petite boîte en argent et en cuir où elles sont alignées les unes contre les autres, retenues par une petite pince à ressort. Maman et Tante Bobbie se sont assises. Ils parlent tous les quatre à voix basse dans la pièce d'à côté. Je ne saisis que quelques mots : « Hitler », « Juif » et « partir ».

La nuit tombe. On n'a pas encore allumé les lampes de la maison, il fait sombre, Rosie me dit de finir ma soupe. Elle y a ajouté tout ce que j'aime : du fromage, des croûtons croquants, qui maintenant sont fondants, et pour me faire plaisir une pincée de sucre. Quand je suis allé dire bonsoir dans le salon, maman avait les yeux rouges, papa ne m'a pas vu quand je l'ai embrassé, et je suis allé me coucher. Rosie m'a chanté une chanson pour m'endormir.

*
* *

Nous sommes chez Funk. Il lit les journaux à voix haute :

– « Ernst Röhm préparait un putsch contre Hitler. » « Il voulait donner le pouvoir à ses SA, qui auraient mis à sac l'Allemagne. » « Cela aurait été le chaos. » « La révolution. » « Un bain de sang. »

Funk sait tout ce qui s'est passé. Il va et vient dans la pièce, il saute presque. Il est tout excité. Il parle très vite à Rosie.

– Hitler aurait surpris Ernst Röhm dans un hôtel au bord des lacs, au lit avec un autre homme. C'est forcément une mise en scène.

– Je croyais qu'il était nazi et très proche d'Hitler… Je ne comprends plus rien, dit Rosie.

– Röhm voulait aller beaucoup plus loin qu'Hitler. C'était une brute. La façon dont les nazis l'ont tué n'en est pas moins sauvage. Ils s'entretuent pour le pouvoir. Ernst Röhm a été fusillé, ainsi que tous ses compagnons. Il a eu le choix entre le suicide et l'exécution. Il n'a pas eu le courage de se suicider.

Je ne sais pas ce que je choisirais si on me posait la question. Tous les jours, nous passons devant la maison de Röhm en allant au parc. Elle paraît morte ; le jardin est jonché de branches et de feuilles tombées lors de la tempête. On dirait une maison fantôme. Derrière les vitres, on aperçoit de grandes pièces qui semblent un peu plus vides chaque jour. La vie s'est échappée.

*
* *

Le soir, après mon dîner, j'ai maintenant le droit de rester avec mes parents au salon. Ils parlent de leur journée, ouvrent le courrier, évoquent la famille. Je leur raconte l'école et leur montre mes cahiers. Ils ont signé mon beau dessin, une grande croix gammée magnifiquement coloriée. Je leur ai dit que Ralph ne me parlait plus. Au début, je me suis senti seul. Maintenant, j'ai un nouveau copain. Son oncle est chef d'orchestre à l'Opéra. C'est ce que je voudrais faire plus tard.

Le matin, avec Rosie, nous accompagnons parfois mon père à son bureau qui est sur le chemin de l'école. Nous passons devant chez Hitler, nous longeons l'Opéra et nous quittons papa devant le perron de son immeuble. Ceux qui y travaillent le saluent en disant : « Bonjour monsieur le directeur. » Il serre la main de chacun en soulevant son chapeau. Je m'amuse à le regarder : il me fait penser à un automate répétant le même geste. Nous marchons ensuite le long d'un immense chantier, juste en face de chez mon dentiste. C'est Hitler qui fait construire un grand musée consacré à l'art allemand. On l'a vu en photo dans les journaux, posant avec l'architecte devant les premières pierres du futur édifice.

Papa est de plus en plus souvent à la maison quand je rentre de l'école. Ses amis écrivains viennent le voir et depuis tout petit c'est moi qui les accueille. Papa m'a appris comment les recevoir en authentique gentleman anglais. J'ouvre la porte, je leur propose de prendre leur chapeau et leur parapluie. Rosie s'occupe de leur manteau. Puis ils s'asseyent dans le canapé et les invités fument des cigarettes. Werner Sombart arbore une barbichette identique à celle de Lénine, dont Funk a des photos chez lui, Martin Buber ressemble à un prophète et Robert Michels porte un gant noir à une seule main. Quand ils passent, papa fait attention à ce qu'ils ne se croisent pas car ils n'ont pas les mêmes opinions. Werner Sombart dit que les nazis sauront enrichir l'Allemagne, Martin Buber, lui, n'a plus le droit de travailler et envisage de partir vivre en Palestine. En attendant, il a entamé la rédaction d'une nouvelle version de la Bible, une entreprise surhumaine selon maman. Avec sa grande barbe blanche, je trouve qu'il ressemble à Dieu. Quant à Carl Schmitt, l'un des auteurs favoris de papa, il n'a plus sonné à la porte depuis longtemps. Autrefois, je lui proposais des biscuits avec son thé chaud, il réclamait un nuage de lait, comme les Anglais. Maman a demandé s'il avait honte de son ancien ami et éditeur parce qu'il est juif. Papa n'a rien répondu.

*
* *

Cette année, pour aller en vacances aux lacs, nous avons pris le train, chargés de valises. Dans le wagon, nous étions serrés les uns contre les autres sur les banquettes de cuir.

Nous avons partagé notre compartiment avec une autre famille. Ils étaient tous blonds. Nous étions tous bruns. Ils ne disaient rien. Et nous non plus. Il y avait un enfant de mon âge. Il jouait avec un sac de billes sur les genoux. On ne les voyait pas, on les entendait cogner les unes contre les autres. J'ai sorti mon sac de ma poche. Et finalement, nous nous sommes parlé. Nous avons comparé nos agates et nos calots. Il en avait que je n'avais jamais vu et j'en possédais qu'il ne connaissait pas. Nous les avons échangés. Puis nous avons partagé nos desserts. J'avais une pomme, lui, une orange. Nos mères nous ont aidés à les couper en quartiers.

Son père ne disait rien. Papa lui a proposé son journal qu'il avait terminé, le monsieur lui a offert une cigarette, mon père, qui ne fume pas, a décliné, lui suggérant de l'accompagner dehors afin de ne pas déranger les dames et les enfants. Avec Karl, le petit garçon, nous avons décidé d'aller les espionner. Nous nous sommes cachés dans le couloir. Ils étaient appuyés sur la fenêtre, les coudes dehors, le vent plaquait leurs cheveux en arrière. Soudain, nous avons croisé un train et ils se sont reculés d'un mouvement brusque dans un sifflement strident. Ils étaient décoiffés, papa avait de la cendre sur l'épaule, Karl et moi nous sommes regardés et avons eu un fou rire.

À l'arrivée, ils nous ont aidés à descendre nos valises. Tout le monde riait, mais ce n'était pas le terminus et il fallait faire vite, le train allait repartir. Le chef de gare a sifflé, la locomotive lui a répondu en criant, puis elle s'est mise en marche, entraînant les wagons avec à leur bord nos copains qui nous faisaient des signes à la fenêtre.

– Tu vois, ma chérie, nous serons bien obligés de nous entendre, a dit papa à maman.

– Mais qui te dit qu'ils ne sont pas juifs ? a demandé maman.

– Il me l'a dit. Il est membre du parti nazi. Il m'a dit qu'Hitler allait mettre de l'ordre dans tout cela : il n'aurait finalement rien contre les Juifs, et maintenant, débarrassé de Röhm, il aurait décidé de mettre au pas ces voyous de SA.

À la gare, mon père s'est renseigné. Il est revenu en nous disant qu'un fermier allait nous conduire à Pöcking sur sa carriole. Nous sommes montés dans une sorte de fiacre, le fermier, un vieil homme au visage aussi sombre et brillant que du cuir tanné, a fait claquer son fouet, et nous sommes arrivés dans la villa que mes parents avaient louée.

J'aime retrouver les lacs chaque année. Tous les jours nous allons nous baigner. Je mets du temps à entrer dans l'eau froide. Puis je m'éloigne doucement du rivage jusqu'aux voiliers qui mouillent à quelques mètres. Mes parents m'accompagnent lorsque je pars ainsi. Maman entre dans l'onde doucement, marchant droit devant elle, sans s'arrêter. Papa est plus lent. Il reste longtemps debout face à l'étendue d'eau. Il se mouille plusieurs fois la nuque. Il avance, recule, comme s'il hésitait, puis, alors qu'il s'apprête à plonger, revient en arrière et, d'un coup, sans qu'on l'ait vu disparaître, sans un bruit, il est déjà sous l'eau.

Je nage entre mon père et ma mère. On entend les criquets, le clapot. Nous sommes loin. On voit la plage, les villas, les pontons où des enfants de mon âge préparent leurs hameçons, la terrasse du restaurant où nous allons parfois, et, derrière les arbres, les Alpes dont on aperçoit les sommets enneigés.

Un jour, en rentrant à pied à la maison, nous nous sommes arrêtés dans la petite épicerie. La boutique est si sombre qu'on met du temps avant d'y voir. Sur le comptoir étaient étalés du fromage, du beurre, du pain, des conserves, des saucisses et des bocaux pleins de bonbons.

Deux enfants choisissaient des sucreries avec leur gouvernante. Ils ont payé et sont sortis. J'avais un sou dans ma poche et j'ai demandé à la dame en noir un mélange de confiseries. Elle avait une tête de momie, le visage tout fripé. Elle avait une voix rauque et chevrotante, et l'accent d'ici. Elle devait avoir cent ans. Il paraît qu'elle a rencontré Louis II de Bavière, le Roi fou, et le compositeur Richard Wagner. Elle se souvient de la mort de Napoléon. Elle m'a servi dans un petit sachet un choix de sucettes, des *Lutscher* et des *Kölnischen Brustbonbons*, ainsi que des bâtons de réglisse. Quand je suis sorti, le soleil m'a aveuglé. Puis j'ai vu les enfants qui s'en allaient sur la rue caillouteuse. Le mari de la vieille dame qui tient l'épicerie se tenait debout à côté de la porte, il parlait à mon père.

– Pauvres petits, dit-il, Hitler a fait tuer leur père en même temps que Röhm. C'était Edgar Julius Jung, il venait ici l'été. On lui reprochait d'avoir écrit le discours antinazi que Franz von Papen, un prédécesseur d'Hitler comme chancelier, a prononcé le mois dernier. Lui aussi a bien failli se faire exécuter…

– Pauvres petits, a commenté papa.

Plus tard, ma mère lui a dit qu'il était imprudent de parler ainsi aux inconnus.

– Mais enfin, a-t-il répondu d'une voix rassurante, tu sais bien que l'épicier est de notre côté. C'est le frère d'Oskar Maria Graf, le poète. Il a plaisanté en disant que son seul regret depuis qu'Hitler avait pris le pouvoir était qu'il n'ait pas brûlé les livres d'Oskar, car cela signifiait qu'il ne devait pas être un assez bon poète ! C'est drôle, non, tu ne trouves pas ?

Maman n'a pas répondu. On aurait dit qu'elle boudait. Mon père l'a enlacée et nous sommes rentrés à la villa.

Maman se méfie de tout le monde. Elle chuchote dans les lieux publics. Elle me dit de ne pas parler devant les inconnus. J'ai l'impression qu'on nous regarde lorsque nous marchons dans la rue. Nous aussi, nous parlons des autres dans leur dos. Personne ne s'adresse la parole, tout le monde se sourit, et l'on sait tout sur tout le monde. C'est un peu comme à l'école. Il y a des bandes, avec les méchants et les gentils. La villa voisine, par exemple, est occupée par un chef d'orchestre nazi. J'ai entendu maman raconter comment il avait faitdécorer de croix gammées gigantesques l'Opéra qu'il dirige. Elle a ajouté qu'elle n'irait plus à l'Opéra. Le matin, je le vois marcher en maillot sur le ponton devant son jardin. Il se glisse dans l'eau et nage jusqu'au centre du lac. Sa tête devient toute petite, presque invisible. Puis il revient lentement. Quand il atteint la berge, il ne s'essuie pas tout de suite. Il fait des exercices de gymnastique, puis le poirier, la tête posée sur le sol, les jambes tendues tout droit vers le ciel. J'aimerais être chef d'orchestre. J'aimerais savoir nager jusqu'au centre du lac.

Gertrud von Le Fort possède une grande villa sur les lacs. Elle nous invite à prendre le thé presque chaque jour. Elle m'intimide car elle s'habille comme une dame du Moyen Âge, toujours en velours, maquillée d'une poudre blanche qui recouvre son visage et me donne envie de tousser quand je dois l'embrasser. Elle porte du rouge sur ses lèvres et du vert sur ses paupières, sa voix fait le son d'un grincement de porte. Elle a toujours des bonbons pour moi, cachés dans une soupière en argent. Maman dit que c'est une originale, papa affirme qu'elle est l'une des plus fines plumes féminines d'Allemagne, et peut-être la plus intéressante parmi les catholiques. Elle compterait d'ailleurs le pape parmi ses admirateurs. Quand Rosie l'a su, j'ai cru qu'elle allait s'évanouir.

Gertrud von Le Fort se tient souvent à l'intérieur de sa maison, au coin du feu qu'elle attise avec le tisonnier. Je regarde les braises rougir sous les bûches. J'ai le droit de les ranimer avec le petit soufflet. Elles deviennent rouges, puis orange, et enfin jaunes, presque vertes, et des flammes en sortent comme des diablotins se bagarrant. Je vois leurs têtes pointues, leurs bras qui vont et viennent. De leurs doigts crochus, ils s'agrippent aux corps dansants des autres diables du brasier. Gertrud von Le Fort me fait parfois la lecture. Elle me déclame des poèmes ennuyeux ou bien me conte des histoires de son enfance. Autrefois, pour venir jusqu'aux lacs, elle voyageait deux jours entiers avec ses parents. Ils partaient de Munich juchés sur des carrioles tractées par des bœufs. D'autres charrues les suivaient, pleines de malles renfermant des centaines de robes. Les voyageurs s'arrêtaient en route pour déjeuner dans l'herbe, puis ils repartaient. Souvent, elle s'endormait sur un lit qu'on lui faisait au-dessus des malles, calfeutrée derrière des rideaux de velours. C'est depuis ce temps-là qu'elle aime porter du velours. Je lui ai fait la lecture moi aussi. Je lui ai lu des pages entières de mon livre préféré, celui que je lis en ce moment, *Robinson Crusoé*. Je lui ai parlé de mon projet de partir un jour voyager avec

Ralph, de visiter l'Arabie saoudite à dos de chameau. Et, peut-être, de créer un nouveau pays, comme Robinson Crusoé sur son île. Mais Ralph n'est plus mon ami. Je ne sais pas pourquoi. Parce que je suis juif peut-être, et qu'il est protestant. Gertrud von Le Fort n'est pas juive non plus, pourtant elle m'écoute, elle. Elle est catholique, comme Rosie. Elle aime Jésus, qui était juif et n'aime pas les nazis. Je l'ai vu à sa tête quand on a parlé d'Adolf Hitler au déjeuner. Elle est intervenue sèchement :

– On ne parle pas de politique à table !

J'étais dans la lune quand elle a dit ça, elle s'en est aperçue et m'a fait un clin d'œil.

Je rêve en lui lisant les aventures de Robinson. Souvent mes pensées s'embrouillent quand je lis à voix haute, et je ne sais plus ce que je dis ni ce que je pense.

1935

> *Il est vrai que sur un point, celui de savoir qu'il ne pouvait pas être question d'Allemand appartenant à une confession particulière, mais bien d'un peuple à part, je ne pouvais plus avoir de doutes ; car, depuis que j'avais commencé à m'occuper de cette question, et que mon attention avait été appelée sur le Juif, je voyais Vienne sous un autre aspect. Partout où j'allais, je voyais des Juifs, et plus j'en voyais, plus mes yeux m'apprenaient à les distinguer nettement des autres hommes. Le centre de la ville et les quartiers situés au nord du canal du Danube fourmillaient notamment d'une population dont l'extérieur n'avait déjà plus aucun trait de ressemblance avec celui des Allemands.*
>
> Adolf HITLER, *Mein Kampf*

Dorle est en vacances chez nous à Munich. Les vacances de Noël sont arrivées et dehors il neige beaucoup. Dorle dort dans ma chambre, sur un petit canapé que l'on transforme en lit. Elle se cache tout le temps de moi. Pour faire sa toilette, mettre sa chemise de nuit et sa robe de chambre, elle s'enferme dans la salle de bains. Elle est aussi grande que maman, elle a de la poitrine comme une femme et n'a le droit ni de se maquiller, ni de porter des talons hauts. Elle voudrait être danseuse et me parle souvent d'un film qu'elle a vu, *La Montagne sacrée*[1], dans lequel une femme danse sans cesse, au bord de la mer ou en haut des montagnes, sur le sable ou dans le blizzard. Elle me montre comment elle danse. Elle saute sur son lit, puis par terre. Elle voudrait être danseuse, et photographe, et alpiniste, et championne de ski, escalader les parois du mont Blanc, traverser des lacs à la nage, comme l'actrice du film, Leni Riefenstahl, qui est, dit-elle, l'Allemande la plus belle du monde, et peut-être la fiancée d'Adolf Hitler.

Pendant les vacances, nous restons tard à la maison le matin, puis nous allons nous promener. Aujourd'hui, nous sommes allés patiner. Chaque année en hiver, une patinoire est installée en plein air, pas très loin de la maison,

1. *Der heilige Berg.*

entre chez le voisin et le bureau de papa. Quelques jours avant que Dorle arrive à la maison, Tante Bobbie m'y avait emmené voir un spectacle sur glace donné par la championne Sonja Henie. Elle est si douée qu'à seulement onze ans elle avait déjà participé à ses premiers jeux Olympiques. C'était en 1924. Elle était arrivée dernière ; depuis elle a tout gagné. On la surnomme « la Reine de la glace », ou encore « la Pavlova de la glace ». Je regrette qu'elle soit norvégienne et non pas allemande.

Nous sommes allés plusieurs fois au cinéma cette semaine. Nous avons vu *Boucles d'or*, avec Shirley Temple. Elle a sept ans et c'est son vingt-neuvième film. Dans celui-ci, les enfants portent des salopettes et ont les cheveux décoiffés. Ils marchent les mains dans les poches en balançant les épaules. J'ai fait pareil en sortant du cinéma, Rosie m'a repris et Dorle s'est moquée de moi. Nous sommes allés voir un film de l'idole de Dorle, Leni Riefenstahl. Dorle l'admire car elle est belle et sait tout faire.

– C'est une femme moderne, m'a dit Dorle.

Nous sommes allés voir son dernier film, *Le Triomphe de la volonté*[1]. L'action se déroulait

1. *Triumph des Willens.*

en Allemagne, on aurait dit juste en bas de chez nous. On y voyait sans cesse notre voisin, Adolf Hitler, et des foules de nazis. Le film commençait par le vol d'un avion au-dessus de la ville de Nuremberg, qui n'est pas très loin d'ici. On survolait des colonnes de SA, petits comme des fourmis, défilant entre les immeubles, en marche vers la cathédrale. Puis Hitler atterrissait. Il était acclamé de toute part. Des enfants de mon âge le saluaient comme nous le faisons chaque matin à l'école, en tendant le bras vers lui, paumes tournées vers le sol, doigts serrés comme pour plonger dans l'eau. Hitler répondait en levant à peine le bras. Peut-être finissait-il par fatiguer à force de le lever toute la journée. C'était un film parlant, on y entendait l'air que nous chantons à l'école, *Horst-Wessel-Lied*, qui évoque la guerre que nous ferons un jour, la beauté de la croix gammée et du drapeau hitlérien. Le compositeur est un jeune membre du parti nazi assassiné par les communistes en 1930. En sortant du cinéma, je me sentais fort comme un soldat, serrais les poings dans mes poches et marchais en bombant le torse. Je sentais les muscles de mes bras et de ma poitrine. Si un voyou avait manqué de respect à Dorle ou à Rosie, j'aurais bondi, j'aurais défendu leur honneur. En marchant ainsi dans la rue, je m'imaginais un destin de héros. Je courais et sautais devant mes protégées sur le chemin du retour. À la maison, papa a fait une drôle de tête quand nous lui avons dit quel film nous avions vu.

Je me passionne pour les actualités au cinéma. L'été dernier, j'ai pu y voir toutes les cérémonies organisées par Hitler pour la mort du maréchal von Hindenburg. Des bûchers flambaient, des hommes en armes, casqués et munis de torches marchaient aux côtés d'un cercueil, un nuage de fumée sombre enveloppait la scène. Des milliers de soldats étaient réunis dans un château fort, au centre duquel une procession de militaires déposa le cercueil, qui disparut brusquement sous terre. Au même instant une formation d'avions survola les lieux. Un drapeau géant frappé de la croix de la Reichswehr ornait un mur fortifié. Seul au milieu des généraux, de femmes en noir et voilées, Hitler, dans son uniforme cintré de ceinturons croisés, prononça l'oraison funèbre puis serra les mains sous le soleil. Le bulletin d'informations avait aussi annoncé qu'Hitler était à présent Führer et chancelier, et que personne d'autre que lui ne prendrait la place du maréchal. Mon père toussa dans la salle puis chuchota quelques mots à l'oreille de maman. J'espère qu'on ne nous a pas remarqués !

*
* *

Les vacances sont terminées. Dorle est repartie à Berlin. Demain les cours reprennent. Dans mon lit, je repense à cette belle semaine, aux films que nous avons vus, aux enfants américains et allemands aperçus sur l'écran. Je préfère les Allemands, pourtant je n'aimerais pas posséder une dague, une chemise brune, une cravate et un écusson, et encore moins rejoindre les *Pimpfe* ou les *Deutsche Jungvolk*, dont on peut faire partie dès l'âge de dix ans – mon âge. Ralph a tout l'uniforme : après l'école, avec d'autres garçons, ils s'entraînent. Le samedi, ils font des marches dans la campagne, ils ont projeté de dormir sous une tente une nuit. Je me demande parfois si je pourrais quitter ma famille et ne plus être juif, être simplement un Allemand comme les autres. J'aimerais pouvoir décider qui je suis et retrouver Ralph. Peut-être demain serons-nous amis à nouveau.

Les journées sont longues à l'école. Quand nous y arrivons le matin, il fait encore nuit.

Nous passons la porte, et c'est un autre monde. Nous attendons l'heure dans la cour et quand la sonnerie retentit nous nous mettons en rang. Il fait si froid que de la fumée sort de nos narines. Nous n'avons pas le droit de mettre les mains dans les poches. J'ai des gants de laine, le bout de mes doigts est gelé et j'ai les pieds glacés. Mes chaussures sont mouillées par la neige. Rosie a beau les graisser tous les soirs, rien n'empêche l'humidité de pénétrer le cuir.

Nous pénétrons dans le hall et gravissons le grand escalier de pierre. Il est interdit de parler, on n'entend que les rires contenus et le tambour des talons sur le sol. Des flaques boueuses se forment sur les marches. Au premier étage, nous tournons à gauche, vers les classes. Tous les jours, je caresse le lapin sculpté dans le bois de la rampe. Ma salle est la première dans le couloir. Mon pupitre est près de la fenêtre, sur le côté. La classe commence. J'ai souvent envie de dormir, mais il ne faut pas : lorsque le maître surprend un enfant dans la lune, il lui lance à toute force une craie depuis l'estrade. Un jour un camarade l'a reçue dans la joue, il s'est retenu de pleurer, ses lèvres tremblaient.

Nous apprenons le latin et le grec. Je m'embrouille entre ces deux langues. Heureusement, je révise le soir avec maman. J'aime apprendre. Quand je serai grand, je parlerai toutes les langues, mortes ou vivantes, je donnerai des conférences, on m'acclamera, et lorsqu'on m'interrogera sur mon parcours, je raconterai mes journées dans cette classe. Il faut que je me souvienne de tout.

Le maître nous a appris aujourd'hui que la Sarre avait enfin été rattachée à l'Allemagne. Cette petite région, qui faisait autrefois partie de l'Allemagne, était sous tutelle de la France depuis 1918. Plus de 90 % des Sarrois voulaient redevenir allemands et leur souhait est enfin exaucé. La France est ainsi un peu plus petite, et l'Allemagne, un peu plus grande. Et cela fait presque un million d'Allemands en plus. Je suis fier de mon pays.

– Notre Führer a conquis un pays sans tirer un coup de feu, a dit le maître.

Il a ajouté qu'il fallait le saluer. Nous nous sommes tous levés et nous avons crié : « *Heil Hitler !* »

La semaine suivante, le maître nous a dit que le Führer avait décidé que l'Allemagne aurait bientôt une grande armée, comme les grandes nations. Il va rétablir le service militaire obligatoire. Nous aurons ainsi six cent mille soldats. J'ai regardé les autres. Ils avaient tous un petit sourire aux lèvres. Nous avons à nouveau salué le Führer, et la cloche a sonné. Nous avons rangé nos affaires, toujours en silence, glissé les chaises sous les tables, et nous sommes sortis sans un bruit, comme nous devons le faire. Dans la cour, tout le monde a hurlé de joie, sauf moi.

Ralph et ses nouveaux amis m'ignorent. Ils ne sont qu'un petit groupe d'imbéciles. Les autres jouent encore avec moi. Je sais qu'il y a d'autres enfants juifs dans l'école. Rien ne les différencie : l'un d'entre eux marche souvent les mains dans le dos, en regardant par terre, comme Napoléon ; un autre attend toujours sous le préau, les yeux plongés dans un livre, on le voit parfois jouer seul avec des osselets ou des billes. Parfois, je trouve que ma vie est triste. Heureusement, notre maison est merveilleuse. J'adore mes parents et Rosie. Et puis Tante Bobbie aussi. Et Funk également, bien qu'il continue de critiquer l'Allemagne. Je ne sais pas ce qu'en penserait mon maître d'école… Pourtant, notre concierge me gâte, m'offre des bonbons, des bandes dessinées, des crayons de couleur ou des élastiques, il me fabrique des avions en papier et fait rire Rosie. Nous continuons à lui rendre visite quand maman n'est pas encore rentrée à la maison.

Elle m'interroge parfois sur nos goûters mystères et je les garde secrets.

Personne ne parle. Quand je suis rentré, papa était là, assis à son bureau, lisant et relisant les journaux. Il m'a fait un sourire lorsque je suis arrivé, et il a continué de lire. Quand maman est rentrée, j'ai compris qu'il était préoccupé car Hitler a décidé de restaurer le service militaire obligatoire. Il a lu à voix haute un article à ce sujet, maman m'a regardé, et j'ai cru qu'elle allait pleurer. Papa l'a rassurée en lui disant que j'étais bien trop jeune pour être enrôlé, et que la France ne laisserait certainement pas Hitler se doter d'une armée.

– Personne ne veut une nouvelle guerre mondiale, a dit papa.

Maintenant, il fait nuit. J'ai pris mon bain et mon dîner. Je suis avec mes parents dans le salon. Il n'y a pas un bruit. Je me sens seul. Rosie vient me chercher pour me mettre au lit, maman me promet de venir m'embrasser.

Je termine dans mon lit un recueil de nouvelles de Gottfried Keller, *Les Gens de Seldwyla*[1]. J'en suis à « L'habit fait le moine ». Dans cette histoire, un tailleur s'en va livrer un cos-

1. *Die Leute von Seldwyla.*

tume à l'aristocrate d'un village lointain. Sur la route, on prend l'humble commerçant pour le noble. Mais, au lieu de confesser sa véritable condition, il enfile le costume de son client et, d'aventure en aventure, finit par réellement devenir l'homme qu'il devait servir, son prestigieux client. Pourrais-je ne plus être juif ?

Maman n'est toujours pas là. Les draps sont encore froids. Je m'endors. Je sens sa main sur ma joue. Elle me borde et m'embrasse. Je rêve maintenant je crois. Je rêve que je peux voler dans le ciel et que je suis invincible.

Quand je suis rentré de l'école le lendemain après-midi, tout le monde était là, assis dans le salon. Papa, maman, Tante Bobbie, le duc et Funk. Je me suis approché et me suis glissé entre eux. Un ingénieur était accroupi par terre. Il réglait un gros appareil en acajou sur lequel était écrit en lettres d'or : « Blaupunkt ».

– C'est une radio, a dit papa.

Il souriait en me regardant, et j'ai senti qu'il attendait que j'en fasse autant. Il était fier. L'ingénieur a soulevé le capot de la radio. On voyait des fils et deux grosses lampes. Il l'a refermé, a branché le fil dans une prise. Et soudainement on a entendu un grésillement, puis une voix. Celle d'Adolf Hitler.

– Pourriez-vous essayer une autre station, s'il vous plaît ? a tout de suite demandé papa.

Le monsieur s'est retourné lentement, il a longuement scruté mon père dans les yeux, puis il l'a détaillé du regard, de la tête aux pieds, paupières mi-closes. Il a pivoté vers le poste et a tourné un bouton de Bakélite. Sur l'écran, une fine aiguille s'est déplacée. On a entendu de drôles de bruits. Il a tourné un autre bouton nacré. Les grésillements ont cessé. Et j'ai tout de suite reconnu la musique. C'était un morceau de Schubert que maman joue au piano, *Mélodie hongroise*.

Depuis que la radio est dans le salon, tout est différent. Maman joue moins au piano, papa écoute les actualités, il règle le poste sur Radio Luxembourg, une station étrangère dont les programmes en allemand parlent de notre pays. Ils racontent que les nazis ont arrêté ceux qui n'avaient pas leurs idées et ont interdit les journaux qui les critiquaient. La presse étrangère, que mon père me lisait au Café Stefanie quand j'étais petit, n'est plus en vente. Maintenant, nous écoutons tout le temps Radio Luxembourg.

Je suis ainsi les prouesses de mes sportifs favoris. Les Allemands sont vraiment les plus forts en tout. Rudolf Caracciola porte un nom italien. Il est pourtant allemand et remporte toutes les courses automobiles sur sa Mercedes-Benz W25B. Rudolf Caracciola est extraordinaire. Sa jambe droite est plus courte que l'autre de cinq centimètres depuis son accident à Monaco, il marche avec une canne. Sa femme a été emportée par une avalanche l'hiver dernier. Il est revenu dans la course et, grâce à Mercedes, il roule maintenant plus vite que son rival italien Luigi Fagioli. Hitler en personne lui a commandé cette nouvelle voiture. Heureusement, car, les années précédentes, Caracciola avait dû rouler sur des italiennes de moins bonne qualité ! Radio Luxembourg raconte qu'il a remporté cette semaine le Grand Prix de Tripoli, en Libye, en plein désert, sur le lac salé de Mallaha. J'aurais tant voulu y assister parmi les Bédouins ! J'imagine le sable du désert sur le visage de Caracciola, le bolide lancé à toute allure, le bruit du moteur, le nuage de fumée à l'horizon, les fanions agités dans le public. L'an dernier, il a atteint une vitesse de 311,9 kilomètres à l'heure à bord d'un modèle caréné.

À Munich, le champion est venu en personne livrer à Hitler sa Mercedes-Benz 770, cette belle auto noire que je ne me lasse pas d'observer en bas de chez nous. Notre Führer a annoncé qu'il allait faire bâtir des *Autobahnen* dans toute l'Allemagne, sur lesquelles on roulera plus vite que sur les *autostradas* italiennes. Vivement que ce soit le cas !

Les Allemands sont les plus forts dans tous les domaines. L'année prochaine, Berlin accueillera les jeux Olympiques et nos sportifs remporteront le plus grand nombre de médailles haut la main. J'en suis sûr.

La voix nasillarde de Radio Luxembourg a annoncé que la France ne s'opposait pas au réarmement entrepris par Hitler. Il a inauguré cette semaine un nouveau prototype de navire de guerre dont le faible tonnage lui permettra de contourner la limite de taille imposée par le traité de Versailles. Il sera cependant d'une puissance de feu largement supérieure à celle de nos anciens navires. L'armée de la République, la Reichswehr, devient la Wehrmacht, et l'Allemagne va développer son aviation, la Luftwaffe, et sa flotte, la Kriegsmarine. La France ne s'y oppose pas non plus. L'Angleterre a signé un traité autorisant le développement de la marine militaire allemande. Les lèvres de mon père se pincent, ma mère lui demande d'éteindre le poste.

*

* *

Nous ne sommes pas allés en vacances cet été car mon père était en voyage. Il est parti en Palestine rendre visite à ses sœurs. Mes parents envisagent de s'y installer. Lui est parti en reconnaissance, moi je me prépare à notre départ : j'étudie le soir dans ma chambre la carte de la région, je lis la description des villes dans l'encyclopédie. Dans la journée, Rosie m'emmène à la piscine municipale. Je nage si bien maintenant que j'ai décidé de m'entraîner pour les jeux Olympiques. Je ne sais pas lesquels, ni dans quel sport ce sera, en attendant je m'exerce sans cesse : je fais cinquante pompes le matin, je cours autour du parc, je nage le crawl. Bientôt, je serai prêt, on m'acclamera dans les stades ! Je lis beaucoup. J'adore les histoires d'Adalbert Stifter. Il écrit des contes romantiques, comme Gottfried Keller. Mes préférés sont ceux de son recueil *Pierres multicolores*[1], où il décrit la vie à la campagne.

1. *Bunte Steine.*

J'ai particulièrement aimé « Cristal de roche[1] ». Dans cette histoire, deux enfants se perdent dans la neige le soir de Noël. Le village part à leur recherche. Les villageois les retrouvent juste à temps, avant qu'ils meurent. J'ai pris plaisir à me faire peur, je me suis imaginé fuguant à travers l'Allemagne, seul avec un petit chien pour compagnon, quelques effets dans un baluchon, traversant les villes et les villages, m'enfonçant dans les forêts, gravissant les montagnes, bâtissant des cabanes, fabriquant un canoë indien et pagayant sur les rivières à travers l'Europe, remontant les fleuves jusqu'aux grandes capitales : Paris, Londres…

Papa est rentré de son voyage en Palestine, je l'ai à peine reconnu tant il était bronzé. Il est revenu chargé de cadeaux de la part de ses deux sœurs, Henny et Médi. Il nous a tout raconté. Henny vit près de Jérusalem, à Talpiot, dans une grande villa. Elle est séparée de son mari, Jacob Reich, mais ils s'entendent si bien qu'ils sont devenus amis et ne se quittent pas. Médi, la plus jeune sœur de mon père, vit dans un petit village, à Rehovot, au nord-est de Tel-Aviv. Son mari, Hans Oppenheimer,

1. *Bergkristall.*

est médecin. Ils soignent les pauvres gens. Papa dit qu'ils sont de « doux idéalistes », des « sionistes socialistes ». Ils rêvent de bâtir là-bas un État parfait pour les Juifs.

– Comme l'Allemagne pour les Allemands ? ai-je demandé.

Maman m'a pris dans ses bras sans répondre. Puis mon père nous a montré sur une carte les lieux qu'il a visités : l'Italie, Rome, Florence, Naples, la traversée jusqu'en Palestine, l'arrivée en bateau à Haïfa et, là-bas, Jéricho, Jérusalem... Il a aimé son voyage, ses sœurs sont heureuses d'y vivre, nous a-t-il dit. Sa décision est prise pourtant : nous n'irons pas. Les conditions de vie y sont trop difficiles et il craint que je n'y reçoive pas une bonne éducation. Et puis, il ne sait pas de quoi nous vivrions sur place. Finalement, ma mère lui a fait un grand sourire. Elle lui a fait couler un bain. Il a dit que rien n'était mieux que de rentrer chez soi. Il a allumé la radio, maman s'est tendue...

– Pas les informations, ne t'inquiète pas ma chérie, a chuchoté papa.

Et on a entendu de la musique. C'était une mélodie joyeuse, avec des trompettes.

– Mais c'est du jazz ! a souri maman.

Et papa l'a embrassée sur les lèvres.

C'est le lendemain, je crois, que l'on a entendu l'horrible nouvelle à la radio. C'était le soir, juste avant mon dîner.

Lors de la grande réunion annuelle du parti nazi à Nuremberg – celle qu'avait filmée Leni Riefenstahl –, Hitler a annoncé que désormais les Juifs n'auraient plus les mêmes droits que tout le monde.

Je me suis demandé si ce serait vrai pour moi aussi.

1936

Un grand mouvement, qui s'était dessiné parmi eux et qui avait pris à Vienne une certaine ampleur, mettait en relief d'une façon particulièrement frappante le caractère ethnique de la juiverie : je veux dire le sionisme.

Il semblait bien, en vérité, qu'une minorité seulement de Juifs approuvaient la position ainsi prise, tandis que la majorité la condamnait et en rejetait le principe. Mais, en y regardant de plus près, cette apparence s'évanouissait et n'était plus qu'un brouillard de mauvaises raisons inventées pour les besoins de la cause, pour ne pas dire des mensonges.

Adolf HITLER, *Mein Kampf*,
à propos du sionisme

Rosie n'est pas à la sortie de l'école. C'est ma mère qui est là. Elle se tient bien droite derrière les gouvernantes. Elle porte un manteau de fourrure, celui dans lequel j'aime enfouir mon visage et glisser mes doigts tant il est doux. Ralph est là. Son chauffeur l'attend devant la Rolls-Royce. Il ne monte pas tout de suite, bavarde avec Thomas et Hans. Ils portent des badges nazis au revers de leur veste, me regardent, dévisagent ma mère, chuchotent. Que disent-ils ? Qu'elle est juive ? Qu'elle a l'air juive ? Que son nez est crochu ? Il ne l'est pas, elle est plus belle que les autres femmes, plus élégante. Je suis gêné pourtant, je préférerais qu'elle ne soit pas là.

Le ministre de l'Économie Hjalmar Schacht, celui qui avait été photographié avec mes parents au congrès de Zurich en 1928, a tenté de démontrer que l'on ne pourrait pas totalement exclure les Juifs de la vie économique. D'autres ont suggéré que l'on crée des catégories précises, afin que l'on sache une fois pour toutes qui est un véritable aryen – et qui ne l'est pas. À présent, tout dépend de la religion des grands-parents. Lorsqu'on a au moins trois grands-parents de confession juive, on est un Juif intégral. Si l'on en a seulement un ou deux, on est un Juif « métissé », ou un « demi-Juif ». Les nazis ont inventé un mot pour cela : « *Mischling* », qui signifie « de sang mêlé ».

Pour savoir ce que l'on est, il est nécessaire de retrouver les certificats de baptême de ses grands-parents.

Ralph et sa bande se sont moqués d'un copain, Heinrich, dont les parents avaient égaré les certificats de leurs propres parents. Ils l'ont traité de youpin. Le lendemain, ses parents ont mis la main sur les papiers recherchés, et c'est lui qui les a ignorés jusqu'à ce qu'ils viennent s'excuser. Ils ne se quittent plus depuis et, tout le temps de la récréation, comparent leurs badges ornés de svastikas.

Moi, c'est facile. Tous mes grands-parents sont juifs – et donc toute ma famille l'est. C'est clair. Enfin, pas tant que ça. Mon père a bien eu une première femme catholique, la mère de Dorle ! Ma sœur est-elle juive, comme moi ? Sur le bureau de papa, j'ai consulté le tableau qui a été publié dans le journal avant Noël. On dirait un arbre généalogique et il est bien difficile de s'y retrouver avec toutes les règles compliquées. Pour Dorle, seulement deux de ses grands-parents sont juifs, des Juifs « intégraux », elle aurait donc pu être considérée comme une juive « métissée », une *Mischling*. Sauf qu'elle ne pratiquait pas la religion juive avant les lois de Nuremberg. Donc elle n'est pas juive. Si maintenant elle pratiquait cette religion, elle deviendrait tout de suite une

Mischling. J'en ai parlé à papa, qui m'a dit que j'avais raté le petit « d » de cet article, qui renvoyait au premier article du paragraphe : « Est juif celui qui est né d'une relation extraconjugale avec un Juif, tel que défini à l'article 1 du paragraphe 5 », c'est-à-dire « qui descend d'au moins trois grands-parents qui sont racialement des Juifs intégraux », ce qui est le cas de mon père.

– Mais elle n'est pas le fruit d'une relation extraconjugale ! ai-je dit.

– Si, puisque nous avons divorcé, a répondu mon père. Je ne suis plus marié à sa mère aujourd'hui !

Donc ma sœur est juive, comme moi !

Là, c'est mon père qui avait mal lu. La fin de l'article ajoutait une autre condition. Pour être juive, il aurait fallu que Dorle soit née après le 1er juillet 1936 – donc qu'elle ne soit pas encore née, puisque nous ne sommes qu'en janvier 1936. Ainsi, Dorle n'est pas juive. Elle est une *Mischling*, une « demi-Juive ». Et moi je suis totalement juif.

J'aurais aimé naître autrefois, au temps de mon père. Moi je n'aurai jamais le droit d'épouser une catholique, contrairement à lui qui s'est marié avec la mère de Dorle. Si on nous surprenait marchant main dans la main, nous serions condamnés à la peine de mort pour « trahison de la race ». Je me souviens d'Arabella, avec qui nous allions pique-niquer sur les lacs quand nous étions petits. Nous étions enfants, je crois bien que je l'aimais. Je pense souvent à elle, à ses cheveux blonds, son joli nez et ses yeux verts. Je me demande où elle est, ce qu'elle fait. J'aimerais la revoir. Sa mère passe à la maison parfois, elle vient rendre visite à Tante Bobbie. Et Dorle ? Elle non plus ne pourra pas aimer qui elle voudra. Si un non-Juif lui demandait sa main – et qu'elle acceptait ! – il leur faudrait obtenir une autorisation, et son mari deviendrait un *Mischling* aussitôt, ainsi que leurs futurs enfants. Qui aurait envie de ces complications alors que depuis trois ans déjà les Juifs n'ont plus le droit d'être médecins, fonctionnaires, rédacteurs en chef, musiciens ou avocats ? Chez mon dentiste, celui que je partage avec Adolf Hitler, la jolie jeune fille aux cheveux blonds et à la mouche près de ses grandes lèvres rouges n'est plus là. Elle était juive, probablement. Quant à moi, je me demande quel métier je ferai, et qui j'épouserai.

*
* *

Ma mère m'attend devant l'école. Rosie n'est pas avec elle. Ralph et les autres la regardent.

– Pourquoi Rosie n'est pas là, maman ?

– Viens, mon chéri, je t'expliquerai.

– Non maman, dis-moi, pourquoi Rosie n'est pas là ?

Pourquoi Rosie n'est-elle pas venue ?

Maman ne me répond pas. Elle me serre trop fort la main et elle fronce les sourcils.

– Chut !

Ma gorge se noue et les yeux me piquent. Les autres nous observent.

Je pars devant, tout seul, j'entends les pas de ma mère derrière moi et les ricanements des autres. Je cours dans la rue. Les larmes me coulent dans le cou.

Je longe les allées, la Maison de l'art allemand, la Maison brune du parti nazi, la villa de Röhm, celle de Heinrich Hoffmann, l'appartement d'Hitler, je vois notre immeuble, je monte aussi vite que je le peux, je sonne, papa m'ouvre, je le bouscule, j'appelle Rosie, elle n'est pas dans la cuisine, ni dans le salon, ni dans ma chambre, la sienne est vide, je crie son nom, je redescends, je sonne chez Funk, il m'ouvre.

– Où est Rosie ? Où est Rosie ?

Il me prend dans ses bras et me serre.

Je pleure doucement.

Les lois de Nuremberg interdisent aux Juifs d'employer du personnel « de sang allemand » de moins de quarante-cinq ans. Rosie m'aime et je l'aime. Oui, elle est de sang allemand – comme moi, autrefois, avant les lois de Nuremberg. Je suis juif maintenant, juste juif, rien qu'un Juif, rien d'autre. Nous tous ne sommes plus que des Juifs, et Rosie n'a plus le droit de vivre avec nous.

*
* *

Ainsi, je suis juif… Et les autres me détestent.

Je voudrais aller vivre en Palestine pour ne plus être le seul. Papa et maman en parlent. Ils se renseignent, lisent des ouvrages spécialisés et des articles de presse que papa se procure auprès de nouvelles relations. Je les écoute, je parcours les livres et les revues qu'ils laissent ouverts sur le bureau. On y apprend que cette année soixante mille Juifs ont émigré en Palestine qui compte un million et demi d'habitants. Beaucoup des nouveaux arrivants viennent d'ici : le parti nazi allemand et l'Agence juive pour la Palestine s'accordent pour encourager cette migration débutée à la fin du siècle dernier. Les familles d'Européens se regroupent et s'installent en colonies sur des lopins de terre achetés aux villages arabes alentour. Ils y cultivent des oranges, faciles à exporter. Les communautés ressemblent aux villages du midi de la France, d'autres, aux sovkhozes de l'URSS dont sont issus beaucoup des immigrants. Les jeunes femmes portent la blouse échancrée et les pantalons bouffants, les hommes, le gilet, les culottes courtes et la casquette. La direction est assurée par un conseil de sept personnes élues chaque année. On travaille de 5 h 30 à 11 h 30, et l'après-midi de 14 heures à 18 h 30. On ne perçoit aucun salaire : la colonie pourvoit à tous les besoins, sans oublier les cigarettes pour les fumeurs ou les instruments pour les musiciens. Chaque membre bénéficie de quinze jours de congés payés ; la colonie lui fournit l'argent nécessaire à son voyage et à ses besoins. On n'y est guère pratiquant. Et chacun de ces villages possède en son centre un édifice où les enfants sont élevés en communauté par des nurses professionnelles. J'aimerais être là-bas et plus ici.

Mon père ne veut pas partir pour la Palestine. C'est un pays en guerre, dit-il. La vie y est difficile. Les populations arabes s'inquiètent de voir venir par bateaux tant de familles, elles pensent que ces Juifs feraient mieux de rester en Europe. Les plus extrémistes détruisent les boutiques de ces nouveaux émigrés, ou les abattent en pleine rue, comme ici les nazis. Juifs et Arabes rêvent d'y fonder leur pays – la Palestine n'est pourtant la patrie ni des uns ni des autres, elle demeure un protectorat de l'Empire britannique. Beaucoup rêvent d'un État indépendant pour les Juifs qui ne peuvent plus vivre en Europe, mais les pays avoisinants y sont opposés. Ils déclareront la guerre à ce pays si un jour les Anglais accordent à la nation juive le droit d'exister. Là-bas, on appelle les Juifs des « *ihoud* », et ils ne peuvent pénétrer dans la vieille ville de Jérusalem sans risquer d'y être lapidés. Mon père estime que la situation sera bientôt pire en Palestine qu'en Allemagne.

– Au moins nous sommes en Europe, dit-il. Nous pourrons toujours vivre entre nous. Nous, les Feuchtwanger, sommes des Allemands, quoi qu'ils en disent, et cela depuis 1555, lorsque nos aïeux se sont installés à Fürth, près de Nuremberg, après avoir été chassés de leur village de Feuchtwangen, au nord du Danube. Et avant cela nous étions déjà là ! Tous nos ancêtres ont vécu en Allemagne depuis plus de quatre cents ans. Cette folie passera comme les autres auxquelles les Feuchtwanger ont survécu !

*

* *

Il y a déjà un an que papa a fêté ses cinquante ans. J'y repense parfois en m'endormant. Ce soir-là, tous ses amis étaient venus. Les Bernheimer, les Siegel, et toute la famille qui demeurait en Allemagne. Tante Lilly, Berthold, Tante Bobbie, le duc, et beaucoup d'autres invités dont je ne connaissais pas le nom. Des écrivains, des musiciens, des gens de tous les âges. Les hommes étaient en smoking, et les femmes, en robe de soirée. J'étais vêtu comme un homme, avec un nœud papillon autour du cou. Cette nuit m'avait rappelé les fêtes chez nos cousins Bernheimer, quand mes parents dansaient sous les confettis au son d'un orchestre. Ces soirs de fête, je m'endormais dans la chambre d'Ingrid, bercé par la musique et les rires. Cette fois-ci, pour l'anniversaire de papa, j'avais eu le droit de veiller jusqu'à minuit avec Beate, qui était là. Ses parents avaient l'air heureux. On ne voyait plus les bleus sur le visage de son père, molesté en 1933 ; seule une cicatrice sur la joue rappelait le « mauvais souvenir ».

Avec Beate, nous jouions à préparer des cocktails pour les invités. Dans la cuisine, nous mélangions tous les fonds de verre dans des coupes propres, et nous les offrions aux adultes en leur inventant toutes sortes de noms fantaisistes. Un homme au visage un peu rouge, titubant, ne cessant de se resservir, m'avait regardé dans les yeux et m'avait dit :

– Edgar, souviens-toi bien de cette soirée.

J'avais cru qu'il allait pleurer. Ma mère était arrivée et l'avait mené dans une autre pièce en riant. J'avais entendu leurs voix se mêler au son de la musique que jouait l'orchestre. Avant d'aller me coucher, j'avais regardé par la fenêtre. C'était allumé chez Hitler. Je crois qu'il était seul.

Il me semble comprendre ce que l'homme éméché avait voulu me dire. C'était peut-être la première et dernière grande fête familiale de ma vie. Mon père ne va plus au bureau car son poste a été supprimé. Il ne va plus au Café Stefanie non plus, cette brasserie de la Kaufingerstrasse où quand j'étais petit nous bavardions avec oncle Berthold, que j'appelais Bubbi. Lui ne s'inquiétait pas et disait qu'Hitler ne serait pas dangereux. Mon père ne fréquente plus le Café Heck et ses jardins verts où Hitler en personne avait autrefois salué mon oncle Lion et Bertolt Brecht. Je me souviens de cette époque où j'allais avec Rosie jusque chez Thomas Mann pour lui déposer les livres précieux que lui prêtait mon père. C'était l'été. Je revois les libellules et les papillons. J'avais eu soif un après-midi sur le chemin. Je m'étais désaltéré au goulot d'une gourde remplie de grenadine. Oncle Lion, Bertolt Brecht, Thomas Mann et tant d'autres ont quitté l'Allemagne. Pourquoi sommes-nous restés ?

*
* *

Sur un panneau accroché à l'entrée d'une boutique, j'ai lu : « Interdit aux chiens et aux Juifs. »

*
* *

Papa ne sort presque plus de la maison. Il dirige maintenant depuis son bureau un journal juif, le *Bayerische Israelitische Gemeindezeitung*. Tard le soir, j'entends sa grande plume crisser sur le papier, et je sens son eau de toilette glisser sous les portes jusqu'à ma chambre. Une secrétaire vient parfois prendre note des lettres qu'il envoie. Il travaille tout le temps, du matin au soir et, qu'il reçoive ou pas, il s'habille comme à l'époque où il allait au bureau : costume et gilet gris, chemise blanche et cravate. Ma mère passe dans son dos sans faire de bruit et lui sert le café. Cela me rappelle Rosie qui lui apportait des biscuits sur un plateau d'argent lorsqu'il recevait ses amis écrivains. Parfois, il part quelques jours en province. Il en revient avec des cadeaux, des petits personnages de porcelaine, des tasses en argent, ou des boules de verre dans lesquelles virevoltent des flocons. Il donne des conférences dans des villes des alentours et rentre toujours de bonne humeur et plein d'espoir pour notre communauté.

– Nul besoin de créer une nation en Palestine, dit-il. Les nations et le nationalisme sont une plaie qui mène à la guerre. À l'opposé, l'esprit humain, l'esprit humaniste et fraternel, la culture et la connaissance, les idées, la pensée, la musique et la peinture ne connaissent pas les frontières. Les Juifs n'ont plus le droit de vote en Allemagne ? Les non-Juifs non plus puisqu'ils ne peuvent voter que pour le parti nazi ! Au moins, nous, Juifs, nous ne pouvons pas être leurs complices.

Avec son coupe-papier d'argent, mon père ouvre les enveloppes. Il écrit des lettres à la main et m'envoie les poster. Je cours dans la rue pour les glisser dans la boîte avant la dernière levée du courrier. Il se procure toutes les éditions des journaux du gouvernement et me permet de les lire. Je trouve dégoûtant le journal du parti, le *Völkischer Beobachter*. Le pire est *Der Stürmer*, que dirige Julius Streicher. À la une, on peut lire en lettres géantes : « Les Juifs sont notre malheur », et d'infectes caricatures représentent des personnages à l'air vicieux, voûtés et au nez crochu. Les Juifs sont accusés de vouloir déclencher une guerre en Europe ou de voler l'argent du monde, et en particulier de l'Allemagne. Toutes les semaines, quatre cent mille Allemands l'achètent.

Dans la glace, je n'ai pas le nez crochu. Je ne ressemble pas aux dessins que je vois dans les journaux. Je pense souvent à avant, quand j'étais jeune. J'ai douze ans et je me sens si vieux. Autrefois, j'étais invité à des goûters d'anniversaire. Je me souviens de celui de Ralph. Aime-t-il toujours Marcel Proust ? Avec Ralph, nous voulions être spartakistes quand nous étions petits. Nous nous prêtions nos livres préférés. Nous voulions parcourir le monde à dos de dromadaire. Plus personne ne m'adresse la parole à l'école. Les autres parlent des jeux Olympiques. Ils disent que l'Allemagne gagnera tout. Le 19 juin, Max Schmeling a battu l'invincible Joe Lewis à New York au Yankee Stadium et retrouvé son maillot de champion du monde. Ils disent que l'aryen a vaincu le nègre. Ils disent que les représentants de la race supérieure, les gymnastes Konrad Frey et Alfred Schwarzmann, anciens combattants de la Grande Guerre, vengeront le peuple allemand sur les stades.

*

* *

Je n'ai plus envie que Ralph change d'avis et redevienne mon ami. Il est trop tard. Comme mon père, je vais vivre dans mon propre univers.

Je prépare ma bar-mitsva. Le soir en sortant de l'école, je vais au temple où Herr Glaser m'apprend les chants religieux en hébreu. M. le rabbin Leo Baerwald m'enseigne le cérémonial dans la grande synagogue de Munich. Les nazis ont peint des croix gammées sur les colonnes qui encadrent l'entrée. À l'intérieur, c'est pourtant un autre monde, calme, paisible. J'aime lorsque les enfants chantent avec les adultes. Les voix les plus jeunes se marient aux sons rauques que chantent les grands, on dirait des anges dans le tonnerre. Ils chantent en hébreu et je ne comprends rien, la musique m'enveloppe, m'emporte. M. le rabbin Glaser m'accueille d'un sourire, je me joins aux autres et déchiffre les paroles, je fais semblant de les comprendre, je chante de mémoire, me souvenant que mon père a fait sa bar-mitsva ici. Sous un banc, près de l'autel où demeurent les rouleaux de la Torah, il rangeait son livre et son châle sacrés. Je m'y assieds parfois, et je pense à lui. Nous sommes moins de neuf mille Juifs à Munich, 1,2 % de la population seulement. Lorsque les voix s'élèvent, je regarde au sol pour cacher les larmes qui coulent sur mes joues.

M. le rabbin Leo Baerwald nous donne des cours de théologie. Il m'a demandé aujourd'hui d'accompagner le rabbin Wise, un Américain, depuis la synagogue jusqu'à l'hôtel où il demeure. Il ne parle pas bien l'allemand et ne connaît pas la ville. Nous marchons en silence. Il ne porte pas une calotte, seulement un chapeau. Rien n'indique qu'il est rabbin. Son costume américain est plus élégant que ceux des passants. Il porte un large chapeau – un borsalino, m'a dit un camarade. Je suis heureux de marcher avec un Américain dans la rue. J'ai envie de partir vivre là-bas. On dit qu'il n'y a pas d'uniforme à l'école, que l'on sert du milk-shake aux enfants dans des drugstores, que l'on mange des crêpes au sirop d'érable au petit déjeuner, et que les élèves peuvent apporter à l'école des sandwichs dans une petite boîte de métal. Peut-être un jour prendrai-je le bateau pour New York où habite le rabbin Wise. Il marche vite en balançant un peu les épaules qu'il a imposantes. Je fais pareil. Soudain il s'arrête. Il crie en anglais. Je ne comprends pas ce qu'il dit. Il me montre un tramway. Les gens s'arrêtent et nous regardent. En face, deux soldats en uniforme ont ralenti leur marche et se tournent vers nous. Avec des gestes, il me demande ce qui est écrit sur l'affiche publicitaire accrochée au tramway.

C'est une réclame pour le journal *Der Stürmer*. Elle proclame : « Les Juifs sont notre malheur » et un dessin représente un vieillard hideux au nez et aux mains crochus. Je ne peux pas le traduire en anglais. Je ne sais pas parler sa langue. Les soldats traversent la rue vers nous. Je dis au rabbin Wise :

– *Quick, quick !* le seul mot que je connais.

« *Quick* » veut dire « vite », je l'ai appris dans le *Mickey Mouse Magazine* que le rabbin Wise a apporté pour les enfants de la synagogue. Le rabbin Wise voit les soldats. Nous tournons les talons et nous nous fondons dans la foule. Je n'ai rien dit en rentrant, ni au rabbin Leo Baerwald, ni à mes parents. Si l'on devait venir nous arrêter, je préfère que l'on ignore que c'est peut-être ma faute.

*
* *

J'aime apprendre et mes notes sont bonnes. Papa est fier quand il signe mon bulletin, sur lequel je suis désigné comme « israélite ». Le tampon de l'école représente un grand aigle nazi. La ville entière est tapissée de svastikas, surtout depuis les jeux Olympiques. Ils ont eu lieu comme prévu à Berlin. La France avait menacé de les boycotter, mais le gouvernement de Léon Blum n'a finalement rien annulé. Pourtant, Blum est juif et Hitler a déclaré que le sport allemand était réservé aux aryens. Des opposants au nazisme ont voulu organiser d'autres jeux à Barcelone. Mais les choses vont mal en Espagne : le général Franco, appuyé par Hitler et Mussolini, attaque au canon les villes républicaines tous les jours. Ces jeux parallèles ont donc été annulés. L'Espagne sera bientôt un État fasciste de plus sur le globe. À Berlin, Hitler a reçu les sportifs du monde entier. Tous l'ont honoré d'un salut nazi identique à celui des jeux Olympiques, bras tendu vers le ciel. À l'école, un camarade a dit que c'était un signe de Dieu. Les aryens Konrad Frey et Alfred Schwarzmann ont tout gagné dans leur discipline, la gymnastique. L'Allemagne a remporté le plus grand nombre de médailles, quatre-vingt-neuf contre cinquante-six pour les États-Unis. Leni Riefenstahl a tourné un film à la gloire de nos héros germaniques supposés avoir dominé le monde, *Les Dieux du stade*[1]. J'ai décidé de ne pas aller le voir quand il sortira.

Seul dans la cour, et alors que tous se racontent et rejouent les exploits de nos sportifs

1. *Olympia.*

hitlériens, je me console en me rappelant qu'un étranger, Jesse Owens, a remporté quatre médailles d'or sous les yeux furieux de notre voisin. L'homme le plus rapide de tous les temps n'est pas allemand. C'est un Américain. Et il est aussi noir que le noir des croix gammées nazies.

1937

Ce qui me donna bientôt plus à réfléchir, ce fut le genre d'activité des Juifs dans certains domaines, dont j'arrivai peu à peu à percer le mystère.

Car, était-il une saleté quelconque, une infamie sous quelque forme que ce fût, surtout dans la vie sociale, à laquelle un Juif au moins n'avait pas participé ?

Sitôt qu'on portait le scalpel dans un abcès de cette sorte, on découvrait, comme un ver dans un corps en putréfaction, un petit youtre tout ébloui par cette lumière subite.

Adolf HITLER, *Mein Kampf*

Dorle s'est enfuie. Elle a fugué. Tante Lilly a téléphoné de Berlin, et depuis deux jours papa appelle ses amis à Lausanne, en Suisse, où ma grande sœur était en pension. Personne ne sait où elle est. Elle devait rentrer pour les vacances chez sa mère et, au lieu de prendre le train de nuit qui partait le vendredi soir, elle a disparu. Le téléphone sonne sans cesse. Mon père ne parle plus. Il a voulu prendre un billet de train pour la Suisse : maman lui a rappelé que sans visa on ne le laisserait pas passer à la frontière. Il a broyé un papier dans son poing et l'a jeté dans la corbeille.

Le matin, mon père déjeune en silence. Ses cheveux, plaqués en arrière, sont devenus gris. Il porte toujours un costume trois-pièces, la cravate assortie à la pochette, les souliers parfaitement cirés. Ses lèvres se pincent lorsqu'il manque quelque chose sur la table. De plus en plus souvent il dresse le couvert pour aider maman. Une jeune fille au pair juive a remplacé Rosie. Elle a presque l'âge de Dorle. Enfin, juste un peu plus : vingt et un ans. Depuis que mon père ne travaille plus, nous avons moins d'argent, ainsi nous échangeons sa chambre et quelques sous contre un peu d'aide à la maison. Heureusement, je n'ai plus besoin d'être gardé. À moins qu'il faille me surveiller pour que je ne m'enfuie pas comme Dorle !

Nous avons reçu des nouvelles de la fugueuse. Elle est partie avec un garçon, un Suisse français qui s'appelle Duvoisin. Papa avait l'air triste. Nous étions attablés pour le petit déjeuner, les toasts briochés alignés les uns à côté des autres, maintenus par des cerceaux d'argent posés sur la nappe blanche. De la fumée sortait du bec de la cafetière argentée, à côté du petit pot de lait. La gelée de framboise semblait vibrer dans le confiturier. Les œufs à la coque attendaient d'être ouverts. Maman me tartinait des mouillettes. Elle m'a servi du jus de pomme et m'a dit d'ouvrir mon œuf avant qu'il devienne dur. Et papa répétait que l'important était le bonheur de Dorle. Il espérait simplement que M. Duvoisin serait gentil avec elle.

*

* *

À la radio, une voix d'homme lit les nouvelles. Le monde entier semble devenir fasciste. Anastasio Somoza García est devenu le président du Nicaragua. C'est un dictateur, comme Hitler. Les franquistes espagnols se battent toujours contre les républicains. Les Italiens, alliés de Franco, ont envahi l'Éthiopie en 1935 et destitué le négus Hailé Sélassié.

Leur chef, le Duce, Benito Mussolini, va inaugurer une route de 1 800 kilomètres qui longera la Méditerranée de la Tunisie à la Libye. L'empereur du Japon, Hirohito, poursuit l'invasion de la Mandchourie, en Chine. Il a nommé un Premier ministre fasciste, Kōki Hirota, et signé cette année un pacte anti-Komintern avec Hitler. En Europe, les Français et les Anglais n'ont rien dit quand nos troupes ont occupé la Rhénanie en 1936, pour la première fois depuis la Grande Guerre. Les Belges sont inquiets car il s'agit d'un territoire qui longe leur frontière. L'Allemagne a maintenant mille six cents avions, presque autant que l'URSS qui en compte deux mille cinq cents et plus que l'Italie ou la France. Léon Blum, le président français, a lancé un grand emprunt de 5 milliards de francs pour en fabriquer mille cinq cents avant la fin de l'année prochaine. Et ici les députés du Reichstag ont reconduit les pleins pouvoirs d'Adolf Hitler pour quatre ans. Heureusement, les Américains ne sont pas encore fascistes, eux. Le président Roosevelt a été réélu l'année dernière.

– Mais il ne fait rien pour nous, dit papa. Allez, Bürschi, dépêche-toi, il faut que tu partes à l'école.

– Mais papa, tu crois qu'il va y avoir la guerre ?

– Allez, ne t'inquiète pas. File, mon petit.

Ses mains tremblent quand il se sert du café. Il s'est coupé en se rasant ce matin. Il a de plus en plus souvent des petites marques de sang au visage ; parfois il oublie quelques poils sur la joue. Depuis un an, il a souvent mal au ventre. Il accuse les carences de la nourriture kasher que lui donnaient ses parents. Je me serre contre lui, et je pars en courant dans les escaliers.

Il fait froid dehors. On ne peut plus passer sur le trottoir devant chez Adolf Hitler. Derrière les barrières, des soldats au garde-à-vous surveillent les Mercedes. Je les reconnais car je les vois tous les jours, mais eux ne me remarquent pas, petit Juif invisible. Depuis toujours, je passe devant cet immeuble et je les observe avec attention. J'imagine la vie d'Hitler. Je me demande ce qu'il mange le matin. Je vois son ombre passer à la fenêtre. Il nous hait. Il me hait. Sans même savoir que j'existe.

*

* *

À l'école, mes camarades ont tous rejoint les Jeunesses hitlériennes. Tous sauf moi. Enfin, sauf nous, les Juifs. Et c'est tant mieux ! Pour les autres, l'enrôlement est obligatoire dès l'âge de dix ans. Autrefois, j'aimais leurs uniformes majestueux, aujourd'hui je les trouve grotesques. Je les entends bavarder dans les couloirs et la cour de récréation. Ils ne parlent que d'Hitler et se moquent du reste du monde, des Français comme des Anglais, des Russes et des communistes, comme des Noirs ou des Américains. Ils ne mentionnent pas souvent des Juifs. Peut-être n'osent-ils pas en ma présence ? Le soir, je suis pressé de rentrer à la maison ou d'aller à mes cours de religion.

*

* *

La semaine dernière, un ami a vu Hitler en face de la synagogue. Il déjeunait à L'Osteria, son restaurant préféré. Il était de dos mais s'est retourné un instant, et mon ami a reconnu sa moustache. D'autres personnes étaient assises à sa table, le sourire crispé. Hier soir, en sortant de mes cours religieux, je suis passé devant L'Osteria. Je venais d'étudier la légende de David et Goliath. Je me suis imaginé un instant entrant dans la salle du restaurant et exécutant Hitler d'une pierre lancée en pleine tête par la force d'une fronde. Je marchais, les mains dans les poches, le nez plongé dans le col de mon manteau et je suis rentré à la maison. Je souriais en pensant qu'il ne savait pas qui j'étais. Il ignorait qu'un enfant, un Juif, avait prié pour qu'il meure tandis qu'il se restaurait – son voisin qui l'observait tous les jours et peut-être lui survivrait, le fils d'un Juif qui n'avait plus le droit de travailler mais vivait heureux, le neveu de Lion Feuchtwanger, l'ennemi des nazis qui continuait de le défier depuis la France – la *République* française ! Moi, Edgar, dit Bürschi, fils de Ludwig l'éditeur, neveu de l'écrivain Lion, élève du rabbin Siegfried Glaser, je l'avais haï de toutes mes forces sans qu'il n'en sache rien. Je suis rentré en trottinant, riant, sifflant et chantant, de belle humeur.

Hitler ne peut rien contre les pensées des gens. Il ne peut pas contrôler mes idées et voir le monde qui vit en moi. Il ignore mes sentiments. Nous sommes libres à la maison et en nous-mêmes. À la synagogue, nous étudions la philosophie ; les histoires de la Torah sont pleines de rebondissements et de morales contradictoires. Nous les lisons et en parlons, nous y réfléchissons dans la lumière chaude de la salle d'étude. Le rabbin Glaser nous apprend à penser mais aussi à embrasser les sentiments de chacun. Les histoires sont riches et merveilleuses. Je me rêve David, Moïse ou Samson. Je suis né dans un berceau qui vogue sur le Nil, ma longue chevelure me rend invincible. Pendant les cours, le temps s'arrête et je suis en Égypte à la tête d'un peuple qui traverse les mers et les déserts, je suis un guerrier adoré, qui marche au soleil et les cheveux au vent. Puis je rentre à pied par le chemin habituel, tel un soldat du soleil que protège une armure invisible. Les nazis ne me remarquent pas, je les regarde, je ne les crains plus.

*
* *

Dorle vit maintenant avec son mari dans un appartement à Lausanne. M. Duvoisin a écrit à mon père pour lui demander la main de sa fille. Il nous a lu la lettre gravement. J'ai pensé qu'il allait exploser. Et il a explosé, en effet, mais pas de fureur, de joie. Par son mariage, Dorle aura une autre nationalité et pourra faire sa vie en Suisse. Maman trouve qu'elle est bien jeune, mais il ne l'écoute pas. Autrefois c'était le bel âge pour se marier, et d'ailleurs l'amour n'a pas d'âge. Il a ajouté que, n'ayant pas le choix, mieux valait prendre les choses du bon côté. Mon père va aller au mariage. Ma mère a décidé de rester ici pour me garder. De toute façon la Suisse ne nous aurait pas délivré trois visas, de crainte que nous préparions une immigration clandestine sur son territoire. Avec le faire-part, papa est allé demander un visa au consulat suisse et il l'a obtenu sans problème.

Tout s'est passé très vite. À peine parti, mon père était déjà rentré. Cela m'a rappelé son retour de Palestine. Il avait le teint hâlé et des cadeaux – un coucou suisse, du chocolat suisse, des cartes postales suisses. Il nous a raconté la noce avec force détails, tout joyeux. Le mariage avait d'abord eu lieu à la mairie, puis à l'église. Dorle était habillée tout en blanc. Son mari, un jeune homme très élégant, a fait la meilleure impression à mon père. Tout le monde a dîné dans un grand restaurant. Papa a dit qu'une fois à l'étranger il avait réalisé à quel point la vie avait changé ici, et il pensait que peut-être nous devrions tous aller vivre là-bas. Cinq de ses huit frères et sœurs sont déjà partis : Lion est en France, Henny et Médi, en Palestine, et Bella vient de s'installer à Prague, en Tchécoslovaquie, avec son frère Martin. Oncle Berthold, « Bubbi », est toujours ici, à Munich, ainsi que Fritz. Franziska est à Berlin avec son mari, M. Diamant, et leurs deux enfants. Du côté de ma mère, Heinrich est à Paris, où nous continuons de lui envoyer par colis les affaires qu'il a abandonnées ici. C'est un véritable déménagement postal ! Seul son frère Richard est toujours en Allemagne, ainsi que son ancienne femme, Lise Bernheimer, et leur fille Ingrid. Six sont partis, quatre sont encore là : plus de la moitié de mes oncles et tantes a quitté l'Allemagne.

– Mais la Suisse ne nous donnera jamais trois visas d'un coup, dit maman.

– La Grande-Bretagne, alors ?

– Ce sera la même chose, et je ne parle pas un mot d'anglais.

– La France ! Nous pourrions retrouver Lion.

– Mais nous en avons déjà parlé. Lion et sa femme Marta ne sont que deux. Ils vivent depuis quatre ans comme des touristes de luxe, à l'hôtel ou dans des villas de la Côte d'Azur. Ils n'ont pas de visa de travail non plus. Ils ont le statut de n'importe quel sans-papiers. Ils ont heureusement un peu d'argent et beaucoup d'amis. Les livres de Lion ne se sont jamais aussi bien vendus à l'étranger. Nous, nous n'aurions aucun revenu.

– C'est difficile ici aussi !

– Mais nous avons un logement, des meubles, des livres, des amis. J'existe au sein de notre communauté, je donne des conférences, je dirige un journal. Là-bas, nous n'aurions absolument rien, et nous ne serions personne.

Mon père grimace, la main sur le ventre.

– Mon chéri, as-tu pris rendez-vous avec le médecin ? Ça empire, j'ai l'impression, dit ma mère.

– Oui, j'y vais la semaine prochaine.

*

* *

Il a beaucoup neigé cette année ; l'hiver est passé, il commence à faire doux et beau. Derrière chez nous, les terrains de tennis sont ouverts. On entend le son des balles qui rebondissent, le boyau des raquettes, le choc sourd du feutre sur la terre battue. Les arbres n'ont pas de feuilles, seulement des bourgeons à travers lesquels je suis les matchs. Les joueurs vêtus de blanc comptent les points en anglais. Autrefois, je jouais au tennis avec ma mère. Elle m'avait appris à servir et à monter à la volée. Elle me faisait courir en frappant les balles une à droite, une à gauche, une longue, une courte. Les miennes volaient haut dans le ciel. Les siennes traçaient comme une ligne droite invisible et je courais pour les rattraper.

Ma mère comptait les points. Quand était-ce ? Pendant les vacances peut-être ? Ou l'après-midi ? Rosie nous apportait de la citronnade fraîche dans un Thermos d'osier. Nous n'avons plus le droit de jouer sur les terrains publics.

Mon père va être opéré d'un ulcère à l'estomac. Pas bien grave, a dit le docteur, une opération bénigne. Mes parents ont pourtant décidé de m'envoyer à Berlin pendant le temps de sa convalescence, pour qu'il soit vraiment au calme. Ou pour autre chose. Je ne sais pas. C'est tante Bella qui va m'y emmener en train, et nous habiterons chez tante Franziska. Tante Bella vit à Prague. Elle a fait un mariage blanc pour avoir des papiers. Son mari – enfin, son « faux » mari – est un ami qui a voulu l'aider. Il s'appelle M. Traubkatz.

*

* *

Bella et moi sommes dans le train pour Berlin, face à face du côté de la fenêtre. Dans le compartiment nous sommes huit passagers, quatre par banquette. Je suis le seul enfant car ce ne sont pas les vacances. Les autres sont à l'école. Le docteur m'a délivré un faux certificat de maladie, et mes parents m'ont fait un faux mot d'absence. Ils ont dit que j'avais une mononucléose, qui est une maladie du sang, et que je devais me reposer à la maison. En cas de problème, nous dirons que j'ai dû aller faire des examens à Berlin. Ma tante garde soigneusement mes papiers dans son sac à main, ainsi que l'invitation à séjourner chez tante Franziska. Bella, elle, n'a pas besoin de papiers pour circuler : elle a son passeport tchécoslovaque au nom de Bella Traubkatz. C'est la première fois que je vais à Berlin. Je vais enfin découvrir la capitale de l'Allemagne. Je regarde par la fenêtre les fils électriques qui montent et descendent comme des vagues, d'un poteau à l'autre. Tante Bella a entrouvert la fenêtre car un paysan est assis dans notre compartiment, avec des poules dans une cage en osier. Lui et ses poules sentent très mauvais. Les autres passagers, des hommes d'affaires en costume, lisent le journal en silence. C'est drôle, ils tiennent tous le même journal grand ouvert, la jambe droite croisée sur le genou gauche dans un mouvement identique. On dirait un seul homme dont l'image se réfléchirait dans des miroirs. J'ai envie de rire, je m'endors.

À notre arrivée, tante Franziska était là. Nous l'avons suivie dans la foule jusqu'à une borne de taxis, et nous sommes arrivés chez elle. Je n'avais jamais vu autant de monde dans une gare ou dans la rue, ni autant de voitures, de magasins, de bicyclettes, de motos, d'autocars, de tramways, de bus, de jeunes femmes, d'enfants, de camelots, de vendeurs de journaux, de boutiques, d'affiches, de néons, de bars, de restaurants, de banques, de cafés, de terrasses, de chaises en rotin, de tavernes. Il y avait plus de tout.

C'est ici, à Berlin, qu'Hitler menace le monde. La capitale m'a pourtant semblé moins nazie que notre petite ville de Munich. Les trottoirs n'étaient pas peuplés de miliciens SS ou d'enfants en uniforme. Je n'ai pas vu de caricatures de Juifs sur le flanc des bus, ni d'affichettes racistes.

L'appartement de tante Franziska ressemble au nôtre. Il est vaste et chaleureux, rempli de livres et décoré de tableaux. Ses deux enfants, qui sont maintenant des adultes, ne sont pas à Berlin cette semaine. J'occupe la chambre du cadet, Bella, celle de l'aîné. C'est la première fois que je dors seul loin des miens. Le soir, avant de nous coucher, tante Bella m'a raconté sa vie à Prague. Elle m'a dit qu'elle était libre, comme autrefois en Allemagne, libre de vivre la vie qu'elle voulait, et que certainement, plus tard, nous nous retrouverions tous, à Prague ou ailleurs, pour vivre ensemble, insouciants et heureux, ses frères et sœurs et leurs amis, mes parents, et moi. Assise au bout de mon lit, elle me parlait dans le noir, sa voix souriait et ses yeux devaient briller quand elle me décrivait son enfance heureuse à Munich, ses souvenirs d'école, me citant les noms de ses camarades avec lesquelles elle jouait à mon âge. Elle me décrivait le peuple de Prague, où les Juifs étaient considérés comme de simples citoyens. Avec son passeport, elle pouvait voyager dans le monde entier. Bella se faisait persuasive, il nous fallait obtenir des visas, puis des passeports d'un autre pays, n'importe lequel, et partir, quitter l'Allemagne le plus vite possible, avant qu'il soit trop tard. J'ai longtemps entendu sa voix chantante me décrire son univers, les boutiques où elle s'habillait, les restaurants dans lesquels elle allait, et ceux dans lesquels elle irait, à Paris, à Londres, à New York. J'ai vu sa vie de plus tard, je l'ai vue se marier et danser dans une longue robe blanche. J'ai senti sa main sur ma joue et ses lèvres sur mon front dans la tiède obscurité.

Tante Franziska est soigneuse et attentionnée. Lorsque nous sommes arrivés hier, la table du dîner était déjà mise. Elle nous a servi des viandes froides avec du chou blanc mariné dans de la vinaigrette. Puis, quand elle m'a présenté ma chambre, les draps du lit étaient spécialement ouverts pour moi, mes affaires, rangées dans la commode, ma trousse de toilette, posée sur la tablette au-dessus du lavabo dans la salle de bains, la brosse à dents déjà sortie. Ce matin, le petit déjeuner était servi dans le salon. Je suis venu habillé avec la robe de chambre qu'elle m'avait préparée et qui m'attendait, pliée sur le dossier de la chaise de ma chambre.

Nous sommes à table tous les trois, avec tante Bella. Je n'ai pas vu le mari de tante Franziska, il est rentré tard hier soir, et il est déjà reparti au travail. Bien que juif, il a ici le droit d'exercer sa profession d'homme d'affaires.

Je suis heureux d'être là. On entend les Klaxon dans la rue et le bruit des bus et des trams. Je suis impatient de sortir. On sonne à la porte. Tout de suite, j'entends la voix de Tante Lilly, la première femme de mon père, la mère de Dorle ! Je cours dans l'entrée et l'enlace.

– Tu vas voir, mon petit Edgar, mon Bürschi. Nous allons bien nous amuser tous les deux, sans tes parents et sans Dorle qui est maintenant mariée. Tu sais qu'elle attend un enfant ? Non ? Eh bien, c'est pour dans six mois. Bon, et moi je suis toute seule, enfin, presque. Il y a Lewandoski. Bon, je t'expliquerai. D'ailleurs, il a une usine de bonbons, tu te rends compte ? Et justement tu es invité à aller la visiter ! C'est formidable, n'est-ce pas ? Oh ! Mais comme tu as grandi...

Je me presse contre elle encore. Je respire son parfum, le parfum parisien qu'elle porte depuis toujours, depuis que je suis né et qu'elle me tient ainsi dans ses bras. Elle me prend par les épaules et m'éloigne pour me regarder, elle passe ses mains dans mes cheveux, me recoiffe, et m'enlace encore. Elle est maquillée. Avec ses lèvres rouges, ses paupières bleues et son visage trop poudré, elle me fait penser aux tableaux que j'ai vus chez mes cousins Bernheimer, des Toulouse-Lautrec, des Manet, ou Monet, je ne sais plus, je les confonds tous un peu. Elle ressemble à ces dames du siècle dernier, aux robes pleines de dentelles, aux chapeaux fleuris de vraies fleurs, aux lèvres rouges et aux yeux maquillés. J'aperçois sa poitrine que recouvre à peine une étole de soie. Gêné, je me blottis contre elle et regarde par terre.

*
* *

Berlin ressemble au paradis. Je ne me sens plus juif ici. J'ai passé toute la semaine avec Tante Lilly. Nous sommes allés visiter la fabrique de M. Lewandoski, son fiancé. Quand nous sommes arrivés, il a descendu en courant l'escalier qui mène à la guérite du gardien où nous l'attendions, puis nous a fait monter dans son bureau, après avoir baisé les bagues de Tante Lilly qui riait comme une enfant. Son bureau est tout en bois. C'est de l'art moderne, nous a-t-il dit. Les bibliothèques, les armoires et les miroirs semblaient avoir été sculptés dans une seule pièce de chêne bien ciré. J'ai pensé aux affiches de tourisme représentant de grands paquebots transatlantiques. La pièce ressemblait à une grande cabine de bateau. Puis nous sommes allés visiter l'usine. Des hommes en blouses bleues saluaient sans cesse M. Lewandoski. Nous sommes arrivés dans la salle des machines où trônaient de grandes cuves d'acier, dans lesquelles bouillonnait la mixture qui produirait les bonbons. Le sucre y est acheminé dans des sacs en papier géants que l'on vide sur des toboggans de métal. Il coule dans les cuves où des bras mécaniques le mélangent avec de l'eau, alors que la température augmente. Puis, après un long voyage à travers des tuyaux, sur des tapis de caoutchouc, des glissades sur des lattes d'acier orientés par des ingénieurs – en blouses blanches cette fois-ci – qui surveillent des cadrans gradués où une aiguille oscille, une longue pâte, noire, blanche, bleue ou rouge, apparaît. D'autres machines la découpent et des ouvrières emballent les bonbons dans de jolis papiers ornés du logo de l'usine. J'en suis reparti avec des bonbons plein les poches. Tante Lilly marchait comme une reine et par pudeur les hommes détournaient le regard.

Cette semaine, nous avons traversé toute la ville à pied, en tram et en taxi : la porte de Brandebourg, les avenues, les musées. Nous sommes allés visiter le palais de Frédéric le Grand à Potsdam. J'ai bu un chocolat viennois dans un café où jouait un orchestre. C'était du jazz, m'a dit Tante Lilly. Nous avons vu un film américain, une comédie musicale. Puis Tante Lilly et tante Franziska nous ont accompagnés à la gare, Bella et moi. C'était la fin des vacances. C'est là que je me suis souvenu que mon père était malade, que nous retournions à Munich, où mon école m'attendait. Ma vie d'avant allait recommencer, en face de chez Hitler.

*
* *

Ma mère joue du piano. L'appartement est sombre. La porte de sa chambre est entrouverte. Mon père est au lit. Il dort. Ses cheveux sont décoiffés. On dirait un vieillard. Depuis une semaine, il ne s'est pas levé. Je lui apporte son repas sur un plateau. Je m'assieds à ses côtés, il ne parle pas. Une odeur de médicament emplit la maison. Il fait gris et il pleut. L'air que joue ma mère au piano est sinistre, lugubre. On entend le parquet craquer en haut et le vent dehors. Je n'ai plus envie d'aller à l'école, mais c'est pire à la maison. Je m'ennuie, mes parents sont tristes, je n'ai pas d'ami, ni sœur ni frère, je suis seul. La jeune fille au pair n'est presque jamais là. Au début, elle me parlait, me racontait ses secrets. Elle aurait voulu rencontrer un jeune homme, se marier, avoir des enfants, elle rêvait d'un catholique, ou encore un protestant, afin que ses enfants ne soient pas juifs, comme elle – « mais les protestants sont les plus antisémites », m'a-t-elle confié plus tard. Elle a maintenant un fiancé et ne me raconte plus rien. Je sais juste qu'il est juif. Leurs enfants auront une vie aussi malheureuse que la mienne. J'espère que mon père ne va pas mourir.

*
* *

L'état de papa s'est amélioré. Il est redevenu lui-même. Il travaille autant que lorsqu'il dirigeait tout un immeuble de bureaux, il rugit toute la journée, dicte des courriers à une dame qui vient de plus en plus souvent, et m'envoie à la boîte aux lettres. Il s'énerve, donne des ordres, téléphone. J'imagine à cet instant, dans son bureau de l'autre côté de la rue, notre voisin s'affairant aussi. Je me demande lequel des deux est le plus actif. Certes Hitler dirige un pays entier, il change les lois, lance des directives, aboie à la radio, fait mine de consulter le Duce italien, amadoue le Premier ministre français Pierre Laval, défie Joseph Staline, lance de grands chantiers, fait construire des autoroutes pour aller plus vite de son appartement à son Nid d'aigle dans les Alpes, réarme une nation, fait défiler des foules, plaît aux vieilles dames et aux jeunes filles, et ne cesse d'aller et venir en bas de chez nous. Mon père aussi a une idée par seconde. Il les griffonne sur des blocs de papier, correspond avec des écrivains, lance des sujets pour son journal, écrit des lettres de réclamation, appelle des avocats, des intellectuels de sa connaissance, en poste ou à la retraite, avalant une soupe servie sur un plateau-repas, le crayon sur l'oreille, cigarette aux lèvres, écouteur téléphonique coincé entre le cou et l'épaule. Il œuvre contre Adolf Hitler, « tant qu'il en est encore temps ». Ses correspondants sont en Palestine, à Londres, Paris, New York, Lausanne, Rome ou Berlin. Il sort à nouveau en ville, rencontre ses contacts dans les parcs. Et si c'était possible ? Si l'on pouvait faire chuter le Führer ? Quand je me réveille, il est déjà levé. Il soulève à peine les yeux sous ses lunettes, m'embrasse distraitement, puis se replonge dans les journaux de tous les pays. À ma mère, il commente l'actualité et la façon dont il projette de l'influencer. Puis il écrit à tous ceux qu'il connaît, depuis le désormais nazi et tout-puissant Carl Schmitt, qui fut son auteur, et qui aimait tant que je lui serve le thé, jusqu'à bien sûr ses frères, dont le plus âgé, Lion, vient justement de rencontrer Joseph Staline pour un projet de livre.

– J'ai lu son interview de Staline dans le journal, et je sais très bien de quelle façon il rédigera son livre ! crie-t-il à maman. Mais il se trompe. Staline n'est pas le Petit Père des peuples, quel naïf !

Lorsqu'il sort de la maison, de son pas pressé, vêtu d'un costume identique à celui de notre voisin – quand il ne se déguise pas en général –, j'imagine qu'ils pourraient débattre ensemble et me demande lequel des deux aurait le dessus.

*
* *

C'est aujourd'hui ma bar-mitsva. Je suis seul devant l'autel. Sur les bancs, à gauche en entrant, les hommes sont assis, mon père au premier rang. À droite, ce sont les femmes. Ma mère est là. La synagogue est pleine. Je ne reconnais pas les visages. Je chante les textes sacrés enseignés par Glaser. Mon père me regarde. Il m'a promis qu'à partir d'aujourd'hui je serais un homme.

1938

On ne savait pas ce qu'on devait le plus admirer : l'abondance de leur verbiage ou leur art du mensonge.
Je finis par les haïr.

Adolf HITLER, *Mein Kampf*,
toujours à propos des Juifs

Nous ne fêtons plus Noël. Autrefois, mes parents voulaient que je croie au Père Noël, comme les autres enfants ; Rosie s'activait toute la semaine, découpant des décorations dans du papier et de la feutrine multicolore. Avec maman, elles accrochaient du houx à la porte, et des rubans aux fenêtres. Comme tout cela semble lointain ! En rentrant de l'école, j'ai vu les gens se hâter dans le froid, impatients de retrouver leur famille réunie. Derrière les fenêtres éclairées de bougies, on apercevait des arbres couverts de guirlandes et de colifichets. En face aussi, la lumière brille. Avec qui est-il ? Seul, peut-être, puisqu'il n'a pas de famille. Ou bien avec la gouvernante, Mme Winter, dont le nom est inscrit sur la sonnette de l'immeuble, au lieu du sien. Sa garde SS fait sa ronde habituelle. Je reconnais chacun d'eux. La pleine lune éclaire leurs costumes noirs, le cuir luisant des visières et des bottes, la peinture laquée des véhicules. Ils se fondent dans la nuit à peine étoilée. Des ombres flottent sur les rideaux du deuxième, chez lui, dans cet appartement maudit où, en 1931, sa nièce Angela Raubal s'est donné la mort d'un coup de revolver pointé sur le cœur. Toutes sortes d'histoires circulaient autrefois sur les amours du Führer. Les journalistes étrangers commentaient sa vie dans leurs journaux maintenant interdits en Allemagne. J'entends encore mes parents en parler le soir quand ils croyaient que je dormais. Je crois que celle que l'on surnommait « Geli » était sa fiancée. Elle était la fille de sa demi-sœur, et il n'a vécu avec aucune autre femme depuis. On dit que la chambre de la jeune fille est restée intacte, comme au lendemain de sa mort. On dit aussi qu'elle ne l'appelait pas *« Mein Führer »*, car il ne l'était pas encore. Comment l'appelait-elle ? Peut-être « mon oncle », « oncle Adolf » ou alors « Alf », le diminutif d'Adolf... Je ne sais pas. On dit qu'il a aimé la sœur d'un de ses chauffeurs, Jenny, puis la sœur d'un ami, Erna. Il aurait courtisé Henny, la fille de son photographe Heinrich Hoffmann, dont je connais la maison, puis la belle-fille de Richard Wagner, Winifred. Il aurait envisagé une liaison avec une Anglaise, Unity Freeman-Mitford. Mais ces femmes ont finalement épousé d'autres hommes. Quand j'étais petit, mes cousins racontaient avoir vu une de ses liaisons nue à la fenêtre de sa maison. Elle était l'assistante de son photographe, toujours le même, Heinrich Hoffmann, qui expose des photos du Führer dans la vitrine de sa boutique. Et puis il y aurait eu l'idole de Dorle, Leni Riefenstahl, qui se serait lassée – ou bien ce serait lui qui l'aurait quittée en apprenant qu'une des grands-mères de Leni avait du sang juif. Malgré ses succès féminins, il vit aujourd'hui seul. Tous les mercredis, pourtant, une vingtaine de jeunes inconnues viennent déjeuner chez lui. On les voit arriver en costume traditionnel. On raconte que les jeunes filles sont assises à une table et lui à une autre où il mange seul ses légumes et ses pommes de terre. Au concert, on laisse un fauteuil libre à ses côtés. Hitler clame qu'il n'a qu'une compagne : l'Allemagne.

Ce soir, donc, il doit être seul. Sa fenêtre rayonne au bout de la rue. A-t-il un sapin ? Nous n'en avons pas.

Toute la semaine, maman a feuilleté les publicités dans des magazines, des réclames vantant le charme de palaces sur la Riviera italienne, à San Remo, à Campione, sur le lac de Lugano. L'un dispose d'un casino où l'on joue à la roulette, au baccara et au trente et quarante. Dans la salle de gala on donne des opéras, des comédies, des revues, des concerts symphoniques, des ballets, des attractions et des réceptions. Il possède un golf « *18 holes* ». L'annonce dit qu'il est « unique en Europe pour la classe de son club, son restaurant et ses attractions ». Ma mère s'attarde avec gourmandise sur une photo de jeune femme essayant un rouge à lèvres « inimitable ». Moi, j'aimerais un portemine automatique ou un stylo à niveau d'encre visible avec réserve de secours, ou un Kodatoy pour projeter des films de cinéma à la maison. Si mes parents avaient le permis de conduire, nous pourrions acheter une voiture. Une voiture de course ! Dans un désert américain, sur un lac salé, un pilote britannique, sir Malcolm Campbell, va tenter de passer la barre des 550 kilomètres à l'heure au volant d'une voiture baptisée *L'Oiseau bleu*. Elle sera propulsée par un moteur Rolls-Royce et pourrait atteindre les 577 kilomètres à l'heure. Comme j'aimerais voir ce bolide !

Demain c'est Noël. Je n'aurai peut-être pas de cadeau. Dorle n'est pas avec nous cette année. Elle a eu un bébé. La jeune fille au pair est sortie dîner chez les parents de son fiancé. Nous sommes tous les trois, seuls. Nous dînons sans un mot. On n'entend que le cliquetis des couverts dans les assiettes, et les bruits du dehors arrivent jusqu'à nous. Maman interdit la radio pendant les repas et papa ne veut pas que l'on parle politique. Du coup, personne ne dit rien. J'ai envie d'aller me coucher. Depuis ma bar-mitsva, je pense que fêter Noël n'a aucun sens : ce n'est ni une fête religieuse, ni une fête traditionnelle puisque nous les Juifs ne sommes plus considérés comme faisant partie de la nation allemande. À quoi bon faire semblant ?

Le 25 décembre a été un jour ordinaire, sans cadeau. Les journées sont mornes et insipides. La joie de vivre s'est envolée. Plus personne ne se parle dans l'immeuble. Je ne vais plus goûter chez Funk et il ne monte plus à la maison. Tante Bobbie n'est pas venue depuis longtemps. Les rumeurs flottent dans l'air, elles viennent à nous tel le vent glacial de janvier se faufilant sous les fenêtres.

Au camp de Dachau, on parque les hommes par catégories. Communistes d'un côté, catholiques d'un autre, homosexuels dans un baraquement, Tziganes, gitans dans d'autres encore. Les Juifs qui se plaignent sont arrêtés. Certains disent qu'on les tue, d'autres, qu'ils ne sont pas si mal traités. Qui croire ? J'ai entendu une conversation dans la rue. Une dame âgée disait à une amie :

– Et puis, Hitler est bien allé en prison, lui aussi ! Et il ne s'en est pas si mal tiré : il a dit que c'était mieux que l'université et il y a écrit *Mein Kampf*. Alors ? Pourquoi vouloir toujours tout dramatiser ?

*

* *

Mes parents se disputent et changent tout le temps d'avis. Un jour, l'un dit qu'il faut partir n'importe où, et tout de suite, le lendemain, que nulle part nous ne serons plus heureux que chez nous. Cent vingt mille Juifs, soit un sur cinq, ont déjà quitté l'Allemagne. Ma mère veut partir pour la France ou l'Angleterre :

– Un Juif peut devenir Premier ministre. Et d'ailleurs, vingt-cinq mille s'y sont déjà établis.

Mon père répond d'une voix monocorde :

– Ma chérie, la plupart de ces Allemands sont partis sans visa et craignent d'être internés, c'est Lion qui me l'a écrit. Et puis il ne faut jamais rien idéaliser, tu le sais bien. N'oublie pas que l'antisémitisme moderne est né dans ces pays-là ; en France dans la tête d'un déséquilibré nommé Joseph Arthur de Gobineau, puis en Grande-Bretagne dans celle d'un autre fou, Houston Stewart Chamberlain. C'est lui qui a inventé la théorie de la race aryenne. Adolf Hitler s'en est inspiré, en oubliant que, selon son cher Chamberlain, les Allemands n'en faisaient justement pas partie.

Mon père préférerait émigrer aux États-Unis. Il reprend son argumentation :

– Quinze mille des nôtres viennent d'émigrer là-bas. C'est aujourd'hui le pays qui compte le plus de Juifs au monde : quatre millions et demi. On dit qu'un New-Yorkais sur quatre serait juif.

Mon père ne sait pas comment nous procurer des visas. Comme chaque soir, il reprend la liste des pays où nous pourrions aller vivre.

En Pologne, où ils sont trois millions, soit 10 % de la population, les Juifs sont perpétuellement brimés. En Autriche, ils ne sont que deux cent mille, et c'est encore pire. En Russie, leur nombre s'élève à deux millions sept cent mille et ils sont massacrés – et puis c'est un pays communiste. En Espagne, ils sont quatre mille mais c'est la guerre civile.

Mes parents sont d'accord pour dire que le pire serait la Palestine. Ils lisent toutes sortes de publications qui exposent chacune ses statistiques : les Juifs seraient quinze millions huit cent mille dans le monde, 38,6 % travailleraient dans le commerce, 36,4 % dans l'industrie, 6,3 % exerceraient une profession libérale, 4 % travailleraient dans l'agriculture, 2 % seraient domestiques, et 12,7 % seraient rentiers, pensionnés ou assistés.

– Mais comment se fier à des chiffres pareils ! dit mon père.

Et rien ne se passe. Je vais à l'école et en reviens. Notre voisin continue ses pérégrinations : un jour chez lui, un autre à Berlin, puis dans son chalet alpin, le Nid d'aigle. Nous l'entendons crier dans le poste le soir. Je le croise parfois le matin. À mesure que notre univers rétrécit, le sien s'agrandit. En moi je continue de m'évader, je lis, je rêve, je voyage en pensée.

*
* *

La Maison de l'art allemand, en face de chez le dentiste que nous partageons avec Hitler, a été achevée l'année dernière, pendant mon séjour à Berlin. On y a depuis exposé les œuvres d'artistes accusés d'avoir perverti le noble esprit germanique en produisant un « art dégénéré ». Ma mère y est allée, sachant que jamais elle ne reverrait une telle concentration d'œuvres. Elle m'a décrit la file d'attente qui longeait la façade de l'édifice monumental et, dedans, les créations des dadaïstes, cubistes, expressionnistes, fauvistes, impressionnistes, surréalistes et futuristes, les toiles originales de ceux dont j'avais tant entendu parler par mes parents, Marc Chagall, Max Ernst, Paul Klee et Pablo Picasso.

La même semaine, notre ville célébrait la fête annuelle du Printemps. Des chars antiques ont défilé dans la rue, des jeunes filles en tuniques de vestales jetaient au vent des pétales de fleurs. Avec maman, nous les avons regardées passer, appuyés à la rambarde de la fenêtre, à demi cachés derrière les tentures que nous devons suspendre chaque année, pour la fête de l'Art allemand. Les jeunes gens, déguisés en citoyens romains, chaussés de sandalettes à la mode spartiate, marchaient sans bruit dans la chaleur douce de ce début d'été. Le ciel d'un bleu pastel virait au rose clair. Dans mon esprit, ce souvenir se confond avec celui des tableaux que ma mère m'avait décrits.

De l'autre côté, au balcon de l'immeuble d'en face, vers lequel les bras de ceux qui défilaient convergeaient, j'ai vu la silhouette de notre voisin.

Adolf Hitler, bien qu'Autrichien de naissance, dirige l'Allemagne. Il a grandi à la campagne avant d'étudier les beaux-arts à Vienne, où je ne suis jamais allé. Il aurait voulu être peintre, comme le duc, dont les toiles tapissent l'appartement de Tante Bobbie. Je me souviens que sur l'une d'elles, il m'avait permis de poser son pinceau chargé de peinture. Il m'avait encouragé à le tremper dans la couleur de mon choix et à apposer une tache sur le paysage impressionniste qu'il composait. Comme lui, et comme tous les artistes « dégénérés », Hitler aimait peindre des paysages. À Vienne il s'était fait des amis artistes, certains de confession juive. C'est à Vienne encore, après la mort de sa mère – il était déjà orphelin de père –, qu'il aurait connu les premiers échecs, la pauvreté et l'insuccès. Mon père attribue à ces humiliations la raison de sa violence. Vienne serait le véritable berceau du nazisme. Et, là-bas, les foules hitlériennes seraient plus fanatiques que chez nous. Depuis quelques jours, tout le monde ne parle que de l'Autriche : mes camarades à l'école, les présentateurs à la radio, les journaux que des hommes vendent à la criée, mes parents à la maison ou les inconnus dans le tramway… Les présidents du monde en parlent également.

Quand je suis rentré, mon père bavardait avec un inconnu dans son bureau. Ils se sont retournés lorsque j'ai ouvert la porte.

– Mon fils, a dit papa, sans me présenter son interlocuteur.

C'était un homme très grand, et qui m'a semblé particulièrement élégant. Ses mains, longues et fines, étaient posées sur ses longues jambes croisées. Mon père a repris la conversation :

– Hitler souhaiterait que l'Autriche et l'Allemagne ne fassent qu'une, comme autrefois. Il voudrait annexer l'Autriche. Il l'a bien fait avec la Rhénanie, et c'est le fantasme de nombreux Autrichiens convertis aux opinions mégalomanes de leur ex-compatriote. Mussolini s'y opposait auparavant – ce n'est plus le cas. Il semble d'ailleurs épouser chaque jour un peu plus les visions de notre chancelier : en Italie comme ici les Juifs n'ont plus les mêmes droits que les autres. La France, la Grande-Bretagne et les États-Unis sont officiellement contre cette annexion. Mais ils n'ont rien fait quand le Führer s'est emparé de la Rhénanie. Pourquoi bougeraient-ils cette fois-ci ?

Je me suis éclipsé pour aller lire dans ma chambre, allongé sur le lit. Lorsque j'ai entendu, un peu plus tard, la porte claquer, j'ai su que la journée de travail de mon père était terminée. Et j'ai repris ma lecture.

*

* *

Cette nuit encore un grondement me réveille.

J'ai lu un jour que lors d'un séisme les meubles brinquebalent, les lustres se balancent et parfois tombent, les vitrines se brisent et se fracassent sur les trottoirs. Lorsque la Terre tremble ainsi, les maisons s'effritent, croulent, puis s'effondrent, ainsi que les immeubles, les églises. Dans la nuit du 30 juin 1934, quand les SS évincèrent les SA et qu'Adolf Hitler fit arrêter Ernst Röhm dans son lit, les carreaux de ma chambre avaient vibré, et je me souviens avoir vu les gouttelettes de pluie accélérer sur la vitre. Je m'étais levé pour observer les soldats qui s'agitaient, préparant les véhicules. Le vacarme des moteurs avait réveillé les riverains qui se pressaient aux fenêtres. En face, comme un phare dans la brume, l'appartement du Führer était allumé. Je ne l'avais pas vu sortir de chez lui, se glisser à côté du chauffeur de sa berline pour donner l'ordre du départ. La cohorte s'était ébranlée vers les lacs dans un bruit de tonnerre.

Ce matin, un grondement métallique, haché d'ordres secs, des voix sourdes et éraillées, un tonnerre de vrombissements automobiles et de pétarades de motos font trembler les fenêtres de la maison. C'est comme en cette nuit du 30 juin 1934, les fenêtres des immeubles voisins s'illuminent et, cachées derrière des rideaux, des silhouettes observent le coin de la rue. Au bout, à gauche, devant la place du Prince-Régent, à l'angle de l'immeuble en rotonde, derrière la balustrade, là où se trouvent son salon, son bureau, sa chambre, la lumière est aussi allumée, comme chez nous tous. Les soldats, casqués, sanglés dans leurs uniformes verts, chargent les véhicules. J'aperçois mon père et ma mère réveillés, épiant à travers le voile de tulle. Soudain, dans une pétarade inimaginable, une, puis deux voitures, puis la cohorte entière s'ébranlent et disparaissent au bout de la rue dans un nuage de fumée noire. Le bruit résonne encore dans mes oreilles. Ma mère plonge son visage au creux du bras de mon père. Je me serre contre eux. Je sens les doigts de papa dans mes boucles, il me caresse la nuque et je ferme les yeux.

*
* *

Nous avons envahi l'Autriche hier, samedi. Nos troupes ont traversé la frontière austro-hongroise et ont roulé jusqu'à Vienne. Les Autrichiens les ont accueillies avec des fleurs et des drapeaux nazis. Le chancelier Kurt von Schuschnigg a remis sa démission au président autrichien, Wilhelm Miklas, qui l'a acceptée. Papa répète la phrase de von Schuschnigg. Il l'imite en persiflant d'une voix nasillarde :

– « Nous avons cédé à la force parce que nous refusons, même en cette heure terrible, de verser le sang. Nous avons donc décidé d'ordonner aux troupes autrichiennes de n'opposer aucune résistance. »

Il ajoute que le chef du parti nazi autrichien, Arthur Seyss-Inquart, a été nommé chancelier. Puis il poursuit son récit, tiré de ses lectures et de ce que lui ont rapporté ses contacts en Autriche, à Berlin, Londres et Paris. C'est comme un film. Debout à l'avant de la Mercedes-Benz G4 à six roues crantées, celle que nous avons vue partir dans la bruine, Hitler est arrivé à 16 heures dans son village natal de Braunau, à la frontière, sur la rive autrichienne de l'Inn, où son père était agent des douanes, ce qui fit dire à papa :

– Décidément, c'est de famille cette obsession des frontières !

Il a poursuivi sa route. À 19 heures, il était à Linz, la ville où il est allé à l'école de neuf à seize ans. Le soir, au balcon de la mairie, face à la grand-place, il a été acclamé. Le lendemain, le dimanche, il est resté dans le Linz de son adolescence, visitant la maison de son enfance à Leonding, déposant un bouquet sur la tombe de ses parents. Le lundi, il a repris sa voiture, assis à l'avant, se dressant, bras levé, traversant Melk et Sankt-Pölten où la foule criait son nom en agitant des petits drapeaux nazis. Il est arrivé à l'hôtel Impérial à 18 heures. Du balcon, il a clamé : « Personne ne pourra diviser à nouveau le Reich allemand tel qu'il existe aujourd'hui. » Le lendemain, deux cent cinquante mille personnes sont venues écouter son discours sur la Heldenplatz. L'Autriche devenait une province de l'Allemagne, sous le nom d'« Ostmark », et Arthur Seyss-Inquart en était nommé gouverneur. Auparavant, le Führer était allé se recueillir sur la tombe de Geli, sa nièce qui s'est suicidée chez lui. Sur sa tombe, un simple écriteau de bois porte cette inscription : « Ici dort de son dernier sommeil notre Geli chérie. Elle fut notre rayon de soleil à tous. Famille Raubal. » Dans la journée, les Juifs de Vienne ont été traînés devant leurs boutiques saccagées et mis à genoux sous le regard des passants hurlant : « Mort aux Juifs ! »

*
* *

Il est revenu directement à Munich. Pour son retour, des barricades avaient été dressées depuis la gare jusqu'en bas de chez nous. Derrière nos fenêtres, nous avons vu le cortège arriver de loin, puis s'arrêter devant le perron. Hitler salua à peine les petits groupes de badauds épars, et s'engouffra dans le hall de son immeuble. J'étais étonné du peu de monde attroupé. Nous étions loin des marées humaines autrichiennes dont les photos étaient encore à la une des journaux.

*
* *

Cela fera bientôt un mois que l'Autriche a été annexée. Le Premier ministre britannique Neville Chamberlain a dit que ce n'était pas « le moment de prendre des décisions hâtives ou de prononcer des mots imprudents ». Il a ajouté : « Nous devons analyser la nouvelle situation, de sang-froid. »

– Et il n'a rien fait, ajoute papa. Pas plus que les Français ou les Américains.

Un plébiscite a été organisé en Autriche et en Allemagne. À la question : « Approuves-tu la réunification de l'Autriche avec le Reich allemand qui fut décrétée le 13 mars 1938, et votes-tu pour le parti de notre chef Adolf Hitler ? », 99,08 % des Allemands ont répondu « oui ». Les Autrichiens ont été encore plus nombreux, avec 99,75 % de « oui ».

On dit qu'en Autriche les Juifs, les sociaux-démocrates, les démocrates-chrétiens et les communistes sont arrêtés et parqués dans des camps, d'autres sont transportés en Allemagne et enfermés à Dachau, ici, près de Munich. Que deviennent-ils ? Combien de temps seront-ils internés ? Comment sont-ils traités ? Les familles sont sans nouvelles. Les journaux étrangers évoquent l'annexion de l'Autriche, et les grands dirigeants s'inquiètent d'autres projets de conquête éventuels. Et on ne se préoccupe jamais de nous. Hier, c'était la Journée de l'art allemand. Comme chaque année, des hommes et des femmes déguisés en costumes de toutes les époques, représentant ainsi l'évolution de la race aryenne, ont défilé dans les rues de la ville. Ce jour-là, les nazis ont aussi achevé la destruction de notre synagogue.

– Elle dérangeait Hitler. Lui tourner le dos lors de ses repas à L'Osteria n'a pas été un remède suffisant à la mauvaise digestion que provoquait la présence de l'édifice juste en face, plaisante papa.

Nous sommes allés regarder les vestiges. Il n'en reste plus rien. Juste un grand vide. L'espace de mes souvenirs d'enfant. Pourquoi ne partons-nous pas de ce pays qui n'est plus le nôtre ? Je ne parle plus à personne à l'école. J'arrive le matin. Je repars le soir. Dans la classe, j'étudie. À la récréation, je lis. Je ne veux plus être distingué, ni même être vu. Je suis invisible. Ralph et les autres ne me remarquent plus. Je ne suis jamais appelé au tableau. Je sais devenir transparent, ne plus croiser le regard des élèves ni celui des professeurs. À la gymnastique, j'étais le plus rapide pour grimper à la corde à nœuds. Exprès, je ralentis ma montée pour ne plus être le premier. Je veux être oublié, inexistant, jusqu'à ce que l'on parte pour de bon, pour le Chili, Cuba ou l'Argentine, les seuls pays qui acceptent les Juifs – à condition qu'ils payent leur visa.

Un ami de mon père, diplomate argentin, dit qu'il faut partir à tout prix, que les nazis et les fascistes prendront le pouvoir dans tous les pays du continent, que bientôt les Juifs y seront partout en danger. Les journaux annoncent qu'en Angleterre aussi l'extrême droite séduit les foules.

– À ce compte-là, lui a répondu mon père, les États-Unis pourraient basculer ?

Et cet ami à l'accent étranger, roulant les r à la façon bavaroise, de passage dans le bureau de mon père en cet après-midi ensoleillé, a simplement répondu :

– Pourquoi pas…

*
* *

Hitler a décidé que chaque Allemand aurait bientôt sa voiture. Plus précisément, chaque nazi. Les membres du parti peuvent déjà participer à son projet. Il faut être affilié au KdF, la Kraft durch Freude, qui signifie « la force par la joie ». Cette association fait partie du DAF, le Deutsche Arbeitsfront, l'organisme d'État remplaçant les syndicats dissous le 1er mai 1933 – je me souviens de ce jour-là, ma maîtresse nous avait fait faire un dessin, et je crois bien que maman l'a gardé quelque part : c'était une croix gammée devant un marteau, qui représentait la supériorité du nazisme sur le bolchevisme. Le KdF organise des vacances presque gratuites pour ses membres, et vingt-cinq millions d'Allemands en ont déjà profité. Aucun Juif, bien sûr. Papa dit qu'il faudrait le payer pour partir dans leurs centres : on y loge les gens dans de grands immeubles sans charme, et la journée ils rôtissent au bord d'une piscine trop petite. On est même obligé de faire des exercices de gymnastique en groupe. Le *Wilhelm Gustloff*, qui vient d'être achevé, a été mis à la disposition de l'organisme pour que tous les Allemands puissent partir en croisière une fois dans leur vie. C'est un paquebot de plus de 208 mètres de long et 23 mètres de haut – la taille de notre immeuble. S'il mouillait devant chez nous, il occuperait la rue entière. Avec Hitler nous pourrions nous retrouver sur le pont, à mi-chemin de nos appartements.

Le KdF offre donc maintenant une voiture à tous ses membres : la KdF-Wagen. Elle est ronde comme une coccinelle, on dirait un aéronef. Elle peut transporter quatre personnes à plus de 100 kilomètres à l'heure et ne coûtera pas 1 000 marks : 990 exactement. C'est Hitler qui l'a dessinée sur la nappe d'une table de restaurant, L'Osteria, je crois, et c'est Ferdinand Porsche, un ancien ingénieur de chez Mercedes, qui l'a conçue selon ses directives. Porsche a travaillé aux États-Unis où il a étudié les méthodes de production mises au point par Henry Ford, un ami du Führer. Les membres du KdF peuvent déjà ouvrir un compte sur lequel 50 marks seront prélevés chaque semaine. Au terme du contrat, on leur livrera le véhicule. Il faudra juste ajouter 50 marks pour la livraison. D'ici là, des milliers de kilomètres de *Reichsautobahnen* auront été créés. Le modèle peut être équipé d'un toit ouvrant ou entièrement décapotable. Son moteur révolutionnaire est monté à l'arrière du châssis, et l'intérieur est de conception quasi aéronautique, inspirée du cockpit d'un avion. Nous avons une brochure de vente à la maison dans laquelle tout est expliqué. On y voit Hitler célébrant la livraison du premier modèle devant un parterre de jeunes gens en uniforme, des usines grandes et propres, et un dessin en couleurs sur lequel la KdF-Wagen gravit une route de montagne sinueuse. Malheureusement, nous n'en posséderons jamais, l'adhésion au KdF étant interdite aux Juifs. Et si nous quittions l'Allemagne, un jour ? Je voudrais tant vivre ailleurs…

*
* *

« Quand Chamberlain prend des vacances, il part dans un autre pays. Quand Hitler part en vacances, il prend un autre pays. » Mon père collectionne les histoires drôles sur le Führer. Il dit qu'elles viennent de Londres – je crois qu'il les invente. Bizarrement, il me semble que plus il est triste, plus il est drôle. Plus notre monde se fait petit, plus nous sommes isolés, et plus nous rions à la maison.

*
* *

Depuis quelques jours, on parle d'envahir la Tchécoslovaquie, où vit tante Bella. Dans ce pays que je ne connais pas, à la frontière de l'Autriche, qui est maintenant l'Allemagne, vivent un demi-million de personnes d'origine et de langue allemandes. Ce sont les descendants des Allemands que les rois de Bohême avaient fait venir pour travailler au siècle dernier. Ils vivent en majorité dans les régions des Sudètes et des Carpates. Hitler, autrichien de naissance, estime qu'ils sont allemands à part entière, tout comme lui, et les membres du parti nazi tchèque sont de cet avis. « Le week-end, quand Daladier part à la campagne, Hitler part en campagne », a commenté mon père en découvrant dans les journaux qu'il réclamait maintenant l'annexion de ce territoire, afin de « libérer les Allemands des Sudètes de l'oppression tchécoslovaque ».

– Regarde, ma chérie, persifle papa. Notre ami Adolf va nous jouer le même tour qu'avec l'Autriche. Konrad Henlein, le président fantoche du Front patriotique des Allemands des Sudètes… Ah ! Non, pardon, ils ont dû changer de nom : le Parti allemand des Sudètes, c'est plus pacifique ! Oui, donc, Konrad Henlein, le nazi des Sudètes, va réclamer l'indépendance de sa région au nom de l'autodétermination des peuples, et notre cher Adi massera aussitôt ses troupes à la frontière tchécoslovaque. Il n'aura plus qu'à menacer le monde d'une guerre totale si on ne le laisse pas traverser la frontière pour pouvoir aller embrasser ses frères de sang allemands qui l'attendent tel le Messie avec des bouquets de fleurs. Il a fait ainsi pour la Sarre, la Rhénanie, l'Autriche, il en fera autant pour les Sudètes, les Carpates, puis toute la Tchécoslovaquie, et ensuite ce sera la Pologne, et peut-être la Hollande, la France, et, qui sait, pourquoi pas l'URSS ou les États-Unis ? Hitler est un pacifiste : la preuve, il ne fait pas la guerre, il protège les populations allemandes. Il n'envahit pas les pays, il les annexe. Sans les armes, puisqu'on les lui donne. Inutile de se battre, il suffit qu'il donne de la voix pour que l'on accède à ses caprices. Il me fait penser à ces enfants mal élevés à qui l'on cède tout dès qu'ils se roulent par terre. Et alors, malheur à ceux qui là-bas ne seront pas nés de « sang pur »... Les communistes, les démocrates, les homosexuels, les malades, les Tziganes et, bien sûr, les Juifs, tous en prison ! L'épuration a commencé à Vienne, et il en arrive tous les jours à Munich, au camp de concentration de Dachau.

– Mais Dachau ne peut pas contenir tous les peuples d'Europe ! fait remarquer maman. Allez, tais-toi, tu dis des bêtises. Et tu vas faire peur à Bürschi.

– Mais je plaisante, mon amour. Tu n'as pas peur, n'est-ce pas, mon petit Bürschi ?

Je viens contre lui, il me serre dans ses bras et je pense à ma tante Bella qui avait cru échapper au danger en s'installant à Prague. À Berlin, elle m'avait montré fièrement son passeport et m'invitait à convaincre mes parents de la rejoindre.

– Nous avons bien fait de ne pas émigrer là-bas, dit mon père, comme s'il pouvait entendre mes pensées. Nous sommes plus en sécurité sous ses yeux. Son génie est si grand qu'il en oublie de regarder par la fenêtre. S'il savait !

Tout s'est passé comme mon père l'avait prédit. Dans les Sudètes, les troupes paramilitaires de Konrad Henlein brutalisent sans cesse la population dite non aryenne et se heurtent aux forces armées réglementaires. Hitler a annoncé que nos troupes allaient traverser la frontière pour y mettre un peu d'ordre, et que sa décision était prise. La France et l'Angleterre, alliées à la Tchécoslovaquie, auraient dû annoncer qu'elles nous déclareraient la guerre si jamais la Wehrmacht posait un pied sur le sol tchécoslovaque. Au lieu de cela, le Français Édouard Daladier et l'Anglais Neville Chamberlain sont venus à Munich pour écouter les arguments des nazis, espérant un compromis honorable, ou du moins acceptable. Le président américain Roosevelt a fait un appel à la paix.

– Tout sauf la guerre, ils n'ont que cette idée en tête, explique mon père à ma mère. Mais Hitler veut la guerre. Et il la fera, de toute façon. C'est écrit noir sur blanc dans son livre.

Arrivé en éclaireur lors d'un voyage préliminaire express, Chamberlain a été reçu dans le Nid d'aigle, à Berchtesgaden, à quelques heures d'ici, dans les montagnes que l'on voit l'été depuis les lacs. Après une promenade face au panorama alpestre et un déjeuner végétarien, le dignitaire britannique en est reparti sans avoir rien obtenu d'autre que des remarques désagréables : Hitler était d'humeur maussade, ont rapporté les diplomates.

– Il a dû lui parler comme à un gratte-papier, traduit mon père.

Et il ajoute, en riant :

– Peut-être même comme à un Juif. Qui sait ?

De retour à Londres, et après avoir consulté son homologue français, Neville Chamberlain a accepté de revenir négocier. Ils sont tous les deux là, au coin de la rue.

– Benito Mussolini a aussi été invité à participer à la mascarade, rumine papa, comme s'il faisait partie des négociateurs.

Notre appartement ressemble à une antichambre de la conférence. Les journaux sont étalés sur le bureau de mon père. On y reconnaît Adolf Hitler, en veste croisée ceinte d'un brassard nazi, Benito Mussolini, en uniforme militaire, Neville Chamberlain, vêtu comme un banquier de la City, et Édouard Daladier, dans un costume gris à rayures blanches, réunis à Munich, au Führerbau. Sont aussi présents l'imposant Hermann Göring, en tenue blanche d'apparat, bâton de maréchal au poing, et le comte Ciano, fraîchement intronisé plus jeune ministre des Affaires étrangères d'Europe par son beau-père le Duce. C'était avant-hier, le jeudi 29 septembre. Dans la nuit, la paix a été signée.

– Souviens-toi de ce jour, me dit papa, comme du 30 janvier 1933, le jour où notre voisin devenait notre chancelier. Souviens-toi, Bürschi, de ce 30 septembre 1938, souviens-toi toute ta vie de ce jour où la France et l'Angleterre ont abandonné la Tchécoslovaquie aux nazis.

Le lendemain, peu après midi, Hitler a invité Neville Chamberlain à prendre le thé chez lui. Le cortège de voitures gigantesques s'est dissipé dans un souffle de moteurs, comme un envol de grands aigles noirs. Pour moi, c'était juste un jour comme un autre, un vendredi après-midi d'automne au soleil éclatant. Je passais de l'autre côté du trottoir, je rentrais de l'école tandis que notre Führer s'en allait faire visiter notre rue au vieux lord. Ils s'arrêtèrent ensuite à la brasserie Bürgerbräu où Hitler avait donné ses premiers discours, puis sur la place de la Feldherrnhalle où sa tentative de coup d'État avait été brisée en 1923. D'un geste bref, Hitler salua le monument à la façon d'un prêtre se signant devant le

Christ. Mussolini, lui, était déjà rentré en Italie dans la nuit. Daladier, qui avait décliné l'invitation, s'envolait pour Paris. Et notre vie reprit simplement son cours.

*
* *

Après la conférence du 29 septembre 1938, pendant que Chamberlain et Daladier étaient « accueillis chez eux en héros », notre Reich a avalé les Sudètes et s'est agrandi de 30 000 kilomètres carrés et trois millions d'habitants en une nuit. Cette paix, celle du IIIe Reich, durera mille ans, a dit Hitler. À midi, nos troupes ont pris possession des nouveaux territoires. Le 30 septembre, la Pologne s'est emparée de la ville tchécoslovaque de Teschen et de la région de Zaolzie. Le 1er novembre, la Pologne a envahi les territoires du nord de Spisz et d'Orava. Le 2 novembre, la Hongrie a annexé d'autres territoires slovaques, la Haute-Hongrie et la Ruthénie subcarpatique. En deux mois, la Tchécoslovaquie a perdu 40 000 kilomètres carrés et près de cinq millions d'habitants.

Ici, à Munich, des écriteaux sont apparus sur les portes des lieux publics : « Interdit aux Juifs ». Les boutiques juives ont été marquées d'une étoile de David peinte en rouge, puis leurs vitrines ont été brisées.

Le 7 novembre, un jeune homme a tué un diplomate nazi à Paris, Ernst vom Rath. L'assassin est un Juif allemand, nommé Herschel Grynszpan. Dans une lettre laissée à son oncle, il a déclaré « avoir agi ainsi afin que le monde entier l'entende ».

Ernst vom Rath est décédé aujourd'hui, le 9 novembre, malgré l'intervention du médecin personnel d'Hitler. À Munich, on célèbre en grande pompe le putsch avorté de 1923 : les SS défilent partout en ville.

La mort du diplomate vient d'être annoncée à la radio. On entend dans la rue des hurlements, des explosions, des bruits de verre. Dans la nuit, le ciel est orange. Ma mère ne dit rien.

Papa est blanc. Le téléphone ne cesse de sonner. D'une voix tremblante, fragile, il dit à ma mère ce que ses interlocuteurs lui apprennent :

– La synagogue Herzog-Rudolf est en feu. Ils pillent les boutiques qui ont été marquées. Partout en Allemagne : à Marbourg, à Tübingen, à Cologne, à Leipzig, à Esslingen, à Treuchtlingen. En Autriche, à Vienne, ils incendient les synagogues, profanent les cimetières et tuent les Juifs. Ils rouent de coups les femmes, les vieillards, les enfants. Il faut partir.

– Mais comment veux-tu, Luidgie, mon amour, comment veux-tu ? Regarde dehors, ils sont fous. Et où veux-tu que nous allions ?

– Nous verrons demain. Éteignons les lumières, tirons les rideaux, fermons la porte à clé et couchons-nous. Demain nous partons.

*
* *

Seul dans ma chambre, je n'ai pas réussi à m'endormir. De mon lit, j'ai juste entendu les cris dans la rue, et vu le ciel enflammé éclairer les rideaux de ma fenêtre. Je dors enfin. Je fais un cauchemar, je rêve qu'on frappe à la porte. Non, je ne rêve pas, c'est chez nous que l'on cogne. C'est ici. Ils sont ici. La Gestapo est chez nous. C'est ma famille qu'ils viennent chercher. Ils sont entrés. Ils sont dans le salon.

Il fait nuit encore. Je les entends. Leur voix est sèche. J'entends la voix de mon père. Et celle de ma mère. Ils ont peur. Des hommes crient. Ils leur hurlent dessus. Ils ouvrent la porte de ma chambre. Ce sont des soldats. Ils sont en uniforme. Ils allument les lumières. Ma mère est dans le salon. Où est papa ? Il sort de sa chambre. Il est habillé, deux hommes l'encadrent, il vient vers moi, il prend ma tête dans ses mains, il m'embrasse. Ils l'emmènent. Ils l'arrêtent. Ils arrêtent mon père.

– Ne t'inquiète pas Bürschi !

Il a dit de ne pas m'inquiéter. Ils vont le tuer. Non, ne pas m'inquiéter. Cela ne sert à rien. Ça ne changera rien. Ils ne le tueront pas. Il n'est plus là. Nous sommes seuls. Il n'y a plus sa voix, il n'y a plus de bruit. Je veux le revoir. Je veux qu'il soit là. Je ne veux pas qu'il meure. Je ne veux pas mourir. Pourquoi nous ? Je veux ouvrir les yeux, me réveiller. Ce n'est hélas pas un rêve. C'est la réalité. Ils ont arrêté papa. Ils ont emprisonné mon père. Ils l'ont emmené.

Le lendemain, ils sont revenus pour emporter les livres de sa bibliothèque. Ma mère leur a demandé s'ils allaient les mettre en lieu sûr, « eux aussi ». Et elle a ajouté :

– Que pouvez-vous nous prendre de plus, maintenant ?

Ils nous ont regardés, et j'ai regretté ses paroles. Ils sont partis en laissant la porte ouverte.

Deux jours déjà. Je ne vais plus à l'école. Ils ont arrêté oncle Fritz, le frère de papa. Tante Erna, sa femme qui porte le même prénom que maman, est là aussi. Ma mère la console. Elle gémit :

– Plus de vingt mille Juifs ont été arrêtés en Allemagne et en Autriche. Que vont-ils leur faire ?

Les journées passent en silence.

Cinq jours. Aucune information.

16 novembre. Rien. Tante Erna et ma mère ont décidé de préparer notre fuite. On dit que les biens des Juifs vont être confisqués. Un marchand est passé recenser les objets de valeur à la maison. Le lendemain, le vieil homme est revenu accompagné de deux déménageurs pour emporter ce que ma mère lui avait cédé. Aux manutentionnaires, il désignait les meubles et objets d'un simple coup de menton. Ils ont emporté les tableaux et

l'argenterie. Le vieillard a laissé des liasses de billets à maman :

– Ce ne sont que des breloques, estimez-vous heureuse. Si vous saviez ce que j'ai pu prendre chez les Bernheimer, c'était autre chose ! Et je ne les ai pas payés beaucoup plus cher !

Une semaine a passé. Nous ne savons rien de mon père. Nous avons reçu de nouvelles cartes d'identité par la poste. Ce sont des papiers pour les Juifs. Tous les hommes doivent désormais accoler le prénom hébreu « Israël » à leur patronyme, et pour les femmes c'est « Sarah ». Je m'appelle maintenant Edgar-Israël, mon père est Ludwig-Israël, et ma mère, Erna-Sarah.

Fritz et papa sont emprisonnés au camp de Dachau. Maman l'a appris aujourd'hui, elle s'y est rendue avec tante Erna. Sur le portail du camp, il est écrit : « *Arbeit macht frei*[1]. » Elles n'ont pas pu y entrer. Elles ont déposé un colis de provisions à leurs noms.

Cela fait dix jours. Maman pleure beaucoup. Je n'ai pas le droit de sortir de la maison. C'est

1. Le travail rend libre.

Tante Bobbie qui fait les courses pour nous. Les rideaux sont toujours fermés. Nous vivons dans le noir. Dehors, il neige. J'écarte un pan de rideau et regarde les flocons tourbillonner dans la rue. Le soir, c'est allumé chez Hitler.

J'ai joué du piano cet après-midi.

Deux semaines ; quatorze jours et quatorze nuits. Rien.

1er décembre. Vingt jours. Je joue du piano avec la sourdine pour ne pas faire de bruit. Je suis seul à la maison, et je ne dois ouvrir la porte à personne. Maman est sortie, elle est allée solliciter un ancien auteur de mon père, le Dr Wilhelm Grau, membre de l'Institut national d'histoire de la nouvelle Allemagne, en charge de la Section de recherche sur la question juive. En 1934, il avait publié une étude sur la communauté juive de Regensburg. La nuit est tombée. Elle n'est toujours pas rentrée. Enfin la porte s'ouvre. Ses yeux sont rouges :

– Il m'a dit qu'il ne pouvait rien faire.

Tante Erna est passée aujourd'hui. On compte plus de onze mille prisonniers à Dachau.

C'est bientôt Noël et nous n'avons pas de nouvelles de mon père depuis six semaines.

Je suis encore resté seul à la maison toute la journée. Maman est rentrée épuisée. Elle a passé la journée à courir les administrations et n'a rien pu obtenir.

Nous en apprenons tous les jours un peu plus sur ce camp dirigé depuis 1933 par le chef de la police de Munich, Heinrich Himmler, un SS proche d'Adolf Hitler. Dachau a été installé dans une ancienne usine de munitions. Les premiers prisonniers ont dû faire les travaux eux-mêmes, bâtissant à mains nues leurs baraquements et ceux des SS chargés de les surveiller. Les nazis ont diffusé des photos présentant le camp comme un lieu de rééducation exemplaire, doté d'une piscine, où certains prisonniers seraient plus heureux que chez eux ! C'est en réalité un endroit où l'on exécute les prisonniers. Tante Erna nous a raconté que Hans Beimler, un membre du KPD interné en 1933, a pu s'en évader et a publié en Grande-Bretagne et en URSS un ouvrage racontant la vie dans ces camps.

– Mais pourquoi les Russes, les Français, les Anglais et les Américains ne disent-ils rien ?

demande maman. Je ne comprends pas que Daladier et Chamberlain aient pu prendre le thé avec Hitler en sachant cela. Pourquoi n'interviennent-ils pas ?

Je crois que jamais papa ne rentrera.

Cela fait plus d'un mois.

*
* *

20 décembre. Il est revenu ! Mais je l'ai à peine reconnu. C'était un petit homme au crâne rasé et au corps maigre, les yeux enfoncés dans des orbites sombres, le visage grisâtre tacheté de marques violacées. Il se tenait voûté sur le pas de la porte, flottant dans ses vêtements devenus trop larges. Il m'a pris dans ses bras et j'ai été secoué de sanglots. Il n'a rien dit. Il voulait, je crois, mais les sons ne sortaient pas de sa bouche, son corps tremblait comme le mien. Maman est arrivée. Elle a poussé un petit cri et s'est jointe à nous. La nuit tombait. Nous étions blottis, immobiles dans l'entrée. Papa n'a rien voulu nous raconter. Il est allé se coucher.

Le lendemain, il était toujours allongé. Maman lui a apporté ses repas au lit. Puis, dans les jours qui ont suivi, il s'est levé, et bientôt il est redevenu un homme élégant, rasé et parfumé, prenant son petit déjeuner dans son costume d'autrefois, un peu plus large qu'avant, feuilletant les journaux du jour, prenant des notes à nouveau, et lançant parfois vers la fenêtre un regard furieux avant de reprendre place à son bureau, rédigeant des courriers de son écriture nette et précise et m'envoyant à nouveau les poster pour lui.

– Nous allons partir Bürschi, me dit-il un soir, à la lueur du chandelier à sept branches pour une fois allumé. Tu vas voir, nous allons quitter cet enfer, et enfin nous ne vivrons plus en face de chez lui, ce salaud.

Jamais je ne l'avais entendu jurer. C'était le soir de Noël. De l'autre côté de la rue, comme à son habitude, Adolf Hitler réveillonnait seul, servi par Mme Winter.

1939

En me défendant contre le Juif, je combats pour défendre l'œuvre du Seigneur.

Adolf HITLER, *Mein Kampf*

J'aurai bientôt quinze ans et cela fait dix ans qu'il habite en face de chez nous. Maman m'a raconté que lorsque j'étais petit il était moins célèbre qu'oncle Lion. Il l'avait même aidé à enfiler son manteau, lui donnant du « Herr Feuchtwanger » sur la terrasse du café Heck où mon père me commandait des citronnades. Dans ces jardins aujourd'hui interdits aux Juifs, je jouais au cerceau et je courais derrière les pigeons. J'aime quand ma mère me rappelle mon enfance au temps de la république de Weimar, avant les nazis, avant qu'Adolf Hitler devienne chancelier. L'Allemagne était une démocratie, nous étions libres. À l'époque de la grande crise, alors que Munich était si pauvre et que l'on risquait de s'y faire partout détrousser, les mendiants nous saluaient dans la rue car ils connaissaient les œuvres de mon oncle. Ils venaient à la maison et nous partagions avec eux mon repas favori : des saucisses chaudes et croquantes. Mon père était éditeur. Nous partions ensemble le matin, avec Rosie, une jeune fille qui vivait à la maison et m'aimait comme une mère. Les souvenirs me reviennent… Rosie a dû nous quitter quand les lois raciales ont été décrétées. Ma mère allait souvent jouer au tennis sur les terrains derrière la maison. Mon père travaillait parfois au salon. Des écrivains lui rendaient visite, et c'est moi qui leur servais le thé. L'été, il m'envoyait porter des ouvrages à ses amis écrivains. J'allais chez Thomas Mann avec Rosie, et mettais un point d'honneur à tenir moi-même les livres précieux, empaquetés et ficelés, qu'avec mon père ils échangeaient. Nous partions le week-end sur des lacs merveilleux où nous louions des villas, nous y passions l'été en famille avec des amis. Oui, je me souviens de mon enfance… Souvent j'étais invité à des goûters d'anniversaire chez des camarades aryens. On ne disait pas « aryen » autrefois. On ne disait rien. Il n'y avait pas de différence.

Comme nous ne sortons plus, ma mère me raconte des histoires toute la journée. Elle me dépeint sa jeunesse et mon enfance. C'était gai, me dit-elle. Quand elle parle de ces années-là, elle sourit à nouveau, et je l'écoute longuement. J'oublie les rideaux tirés, le ciel gris et les SS qui arpentent les trottoirs. Avec mon père, ils se rendaient à des fêtes qui duraient toute la nuit et rentraient chancelants et souriants. C'étaient les années folles. C'étaient de belles années, me dit-elle.

– La Bavière est un magnifique pays, mon chéri, avec ses clochers en forme de bulbes, ses champs verts et fleuris. Un jour ce sera comme avant.

*

* *

Sur la table du salon, les formulaires pour l'obtention de visas s'accumulent. Nous en remplissons de nouveaux chaque jour et ouvrons les courriers de réponse le matin. Ils sont tous négatifs. Le formulaire du jour concerne le Salvador. Je lis longuement l'article qui lui est consacré dans l'encyclopédie et m'imagine explorant cet État qui possède vingt volcans. Surtout, il y a l'océan, et des plages de plus de 20 kilomètres. Je n'ai jamais vu la mer. Je prie le soir pour pouvoir m'échapper. Je supplie le Seigneur de ne pas me rappeler avant que j'aie pu voir l'horizon.

Lorsque mon père nous a dit que nous avions obtenu un visa familial pour la Grande-Bretagne, je n'ai pas hurlé de joie, je me suis d'abord demandé comment je ferai pour vivre là-bas sans connaître la langue. Je n'ai plus l'habitude de me réjouir, et je n'ose pas le faire. Pourtant je ressens quelque chose qui ressemble au bonheur. Nous allons pouvoir partir. Pour obtenir le visa, oncle Heinrich a fait le branle-bas de combat depuis Paris. Il a contacté les sœurs de mon père en Palestine et mon oncle Lion, dans le sud de la France, ainsi que mon oncle par alliance, Jacob Reich. Ensemble, ils ont réuni la somme de 1 000 livres sterling nécessaire à l'achat de ce visa. Grâce à l'intervention d'une association londonienne, et par l'intermédiaire de ses connaissances au sein de la communauté juive de Bavière, notre dossier a pu être retenu auprès des services du Foreign Office. Il vient d'en recevoir la confirmation officielle. Je partirai en premier, le 14 février 1939, dans dix jours, et mes parents me rejoindront dans les semaines suivantes. Je voyagerai seul jusque là-bas, en train à travers l'Allemagne et la

Hollande, en bateau pour traverser la Manche, et par la voie ferrée à nouveau jusqu'à Londres. Un ami d'un ancien collègue de mon père m'attendra à la gare et m'escortera dans Londres pour prendre un autre train. Une famille anglaise volontaire me recueillera jusqu'à l'arrivée de mes parents. On ne sait pas combien de temps je devrai les attendre. Avant cela, il leur faudra organiser le déménagement de nos biens, et probablement abandonner les plus précieux. Selon les lois nazies, ils appartiennent au peuple allemand et non pas aux doigts crochus des Juifs que nous sommes.

Depuis que nous avons reçu la confirmation de notre départ pour Londres, je ne peux m'empêcher de sourire lorsque le soir j'aperçois la fenêtre allumée du Führer. Il ne sait pas que je le regarde, que je suis là, il ne se doute pas que, juste en face de chez lui, pendant dix ans a grandi un enfant qui un jour témoignera. Mon cœur bat fort lorsque je passe devant la fenêtre. Je sursaute encore quand un moteur démarre dans la nuit ou qu'un pas résonne au petit matin dans l'escalier.

Je regarde les meubles de la maison, les poignées des portes que plus jamais je ne tiendrai entre mes doigts, les moulures au plafond, les ombres au sol lorsque le soleil éclaire le salon.

Si je survis, si je pars, je serai heureux, je le jure.

Dans le salon, mes parents font l'inventaire de ce que nous devrons laisser. Il nous est interdit d'emporter les objets traditionnels, aujourd'hui propriété de la « nation allemande ». À ce titre, le chandelier à sept branches de nos arrière-grands-parents devra rester.

– Mais c'est absurde, dit mon père, on ne peut pas faire plus juif que ça ! Nous ne nous en sommes servis qu'une seule fois, ce Noël, je me demande d'ailleurs pourquoi !

Ma mère ne sait plus comment le calmer. Il crie, et c'est la première fois que je le vois ainsi.

– Mon chéri, cela n'a pas d'importance. Tu dis toi-même que c'est aussi absurde qu'un colifichet.

– C'est celui de mes ancêtres. Je l'ai toujours vu, il est à nous. Que vont-ils en faire ?

– Le fondre, probablement…

À ces mots, papa pâlit, il prend le chandelier, le jette par terre et le piétine en criant :

– Eh bien ! Qu'ils le fondent, qu'ils le fondent !

Maman ne dit rien. Le chandelier n'est plus qu'un amas métallique. Maman s'approche de lui, l'entoure de ses bras, pose ses mains sur son torse et l'embrasse dans le cou.

Avec mon père, nous marchons dans la grande gare de Munich. Il porte ma petite valise. Il m'a prêté un de ses costumes. Je sens le vent frais glisser à travers les mailles de mon écharpe, et je bombe le torse. Les soldats contrôlent nos papiers. J'ai un aller simple pour Londres, un passeport, et un visa en règle. Papa a un aller-retour pour Emmerich, à la frontière hollandaise. Sans la moindre expression, ils nous laissent passer. Je récite dans ma tête les quelques phrases apprises en urgence ces derniers jours : *« My name is Edgar »*, *« How do you do ? »*, *« How old are you ? »*, et celle que, je le sais, je n'aurai plus jamais à prononcer : *« I am a Jew. »* Je suis Juif.

Les paysages bavarois, que j'espère ne plus revoir, défilent à la fenêtre. Des vaches regardent passer le train, ainsi que des paysans auxquels je ne peux m'empêcher de trouver un regard bovin. Ils cultivent leurs champs, arc-boutés sur des charrues tirées par des bœufs, vêtus du costume traditionnel qui, je ne sais pourquoi, me rappelle le Führer. Mon père ne dit rien. Il regarde dehors, ma main dans la sienne, et son visage, que j'aperçois dans le reflet de la vitre, me semble soudain apaisé, je crois voir un espoir au coin de ses lèvres. Nos regards se croisent. Mes yeux sont humides. Je me blottis contre lui.

Nous voilà à la frontière. Je l'accompagne à la porte du wagon. Un soldat SS contrôle ses papiers. Il lui demande sèchement pourquoi il ne quitte pas l'Allemagne lui aussi, comme son youpin de fils, me désignant d'un mouvement hautain. Mon père ne répond pas. Et moi non plus. Je sais qu'en lui-même, et pour la première fois, il n'a pas peur. Aujourd'hui, nous ne craignons rien. Dans quelques jours, nous ne serons plus allemands. Plus jamais.

Papa est descendu. Je suis retourné vers mon compartiment. Sur le quai, il a suivi en marchant le train qui démarrait doucement. Il a collé sa main contre la vitre, j'ai placé la mienne sur la sienne, nous nous sommes souri, le train est parti. Et il a disparu, aspiré par la nuit.

4 décembre 2012

Un État qui, à une époque de contamination des races, veille jalousement à la conservation des meilleurs éléments de la sienne doit devenir un jour le maître de la Terre.

Que nos partisans ne l'oublient jamais, si, en un jour d'inquiétude, ils en viennent à mettre en regard les chances de succès et la grandeur des sacrifices que le parti exige d'eux.

Adolf HITLER, *Mein Kampf*,
dernières phrases de l'ouvrage

De ce dernier voyage je ne me souviens que des parfums.

Le bruit du train s'est enfoui dans ma mémoire, ainsi que les visages des autres voyageurs, leurs voix et la teneur de leurs conversations.

J'ai oublié à quoi je pensais alors que je quittais le pays de mon enfance, laissant derrière moi mes parents et tous mes souvenirs.

Je ne me souviens que de l'odeur des embruns lorsque le train a approché de Hoek van Holland.

J'ai aujourd'hui quatre-vingt-sept ans et je la sens encore.

Il faisait nuit.

J'ai entendu la rumeur des vagues mêlée au bruit du vent.

Nous sommes montés à bord d'un paquebot. Sur le pont, dans la nuit noire, on ne pouvait toujours pas voir la mer bruyante que je voulais tant regarder. À l'aube, elle est apparue.

Et, pour la première fois, j'ai vu l'horizon.

Épilogue

Pour les révisionnistes qui douteraient de la véracité de ce récit – puisqu'ils prennent un plaisir pervers à douter de tout ce qui concerne cette période –, nous préciserons que seuls certains détails, tels que le temps qu'il faisait dehors certains jours d'hiver lorsque grillait dans la cuisine une saucisse savoureuse, pourraient être éventuellement sujets à contestation. Il est vrai qu'Edgar ne se souvient plus très bien du menu exact de chaque jour, ou de la température qu'il faisait à l'extérieur, ou encore du motif de la cravate choisie par son père ce matin-là, et que cela nous avons dû le romancer. Un petit peu. Un tout petit peu. À peine. Car la mémoire d'Edgar est pleine de ces souvenirs sensuels de son enfance en Allemagne. La vie d'Edgar, qui a donc vécu dix ans en face du plus abominable personnage que la Terre ait jamais porté, est un mélange d'images poétiques et d'événements monstrueux.

Edgar est né en 1924. Hitler s'est installé en face de chez lui en 1929. Il l'a souvent croisé dans la rue. Parfois, il ne sait plus si les souvenirs sont bien les siens ou ceux de sa mère qui lui en a fait le récit mille fois. Il en est ainsi pour ses premiers souvenirs. Puis tout se précise. Et, comme tout le monde, il distingue ce qu'il a vu et entendu lui-même de ce qu'on lui a rapporté ou de ce qu'il a lu dans les journaux de l'époque ou dans les livres d'histoire qu'il a étudiés.

Quand Edgar avait cinq ans, en 1929, Hitler en avait quarante. Quatre ans de moins que le père d'Edgar, Ludwig. C'était quatre ans avant qu'il devînt chancelier. Mais il était déjà un des principaux sujets de conversation dans la famille, et tout le monde dans le quartier savait qu'il venait de s'installer juste en face. On en parlait beaucoup. L'oncle d'Edgar, Lion Feuchtwanger, quarante et un ans, venait de publier *Le Juif Süss*, qui racontait la vie des Juifs en Allemagne au VIIIe siècle. Avec cet ouvrage, il était devenu l'auteur allemand qui vendait le plus de livres à l'étranger. Il était l'une des personnalités les plus célèbres de la vie culturelle allemande. Et il était si préoccupé par l'ascension du nouveau voisin de son frère qu'il avait décidé d'en faire le sujet de son prochain livre – ce qu'il fit. L'ouvrage, étonnamment jamais traduit en France, provoqua une telle fureur dans les rangs nazis que, dès leur accès au pouvoir, Lion fut déchu de sa nationalité. En voyage à l'étranger, il ne revint jamais en Allemagne. Ainsi l'ascension d'Adolf Hitler était-elle le premier sujet de préoccupation des Feuchtwanger.

En grandissant, Edgar a continué de croiser Hitler dans la rue, observant la progression du tyran chaque jour plus entouré, dont les cortèges de voitures s'allongeaient, et qui recevait des hôtes de plus en plus prestigieux. Si Hitler ne savait pas qui était l'enfant qui le regardait furtivement, Edgar le connaissait bien, lui, tout comme il reconnaissait l'état-major du parti nazi qui vivait tout autour. Car Munich était la capitale du parti. C'était là qu'Hitler avait tenté son putsch avorté de 1923, qui lui valut d'aller en prison (où il écrivit *Mein Kampf*), c'était là aussi que se trouvaient le siège du parti, la Maison brune, ainsi que la villa du chef des SA, Ernst Röhm, celle de son photographe, Heinrich Hoffmann, son restaurant favori, L'Osteria, et tant d'autres lieux qui étaient familiers aux habitants du quartier.

Rarement l'expression populaire « dans l'antre du diable » aura été si parfaitement adaptée : Hitler peut être considéré comme l'incarnation du mal. Jamais aucun homme dans l'histoire de l'humanité n'aura concentré autant de pouvoir en sa personne. Jamais le monde n'aura à ce point été suspendu aux pensées, aux envies, aux caprices, aux folies d'un seul homme.

Ces années-là, 1929-1939, ont probablement été les plus riches en événements de notre histoire moderne. Pas une semaine qui se soit écoulée sans qu'Adolf Hitler ait décidé seul d'une mesure, une loi, puis une invasion. Et à chacune de ces gesticulations, Edgar devait s'adapter à une nouvelle vie ; car Edgar – et cela, il ne le ressentit que lorsque justement il y fut obligé par les nazis dès leur arrivée au pouvoir en 1933 – était d'une famille de confession juive. Avant 1935, les Feuchtwanger ne pratiquaient pas. Ils n'allaient quasiment jamais à la synagogue. Ils étaient ce qu'on appelle des Juifs laïcs et assimilés. Dans leur esprit, ils étaient des Allemands et, avant tout, des êtres humains. C'est ainsi qu'ils avaient prévu d'élever Edgar. Edgar n'eut pourtant d'autre choix que de se considérer lui-même comme une personne en danger, menacée. Dès le 1er mai 1933, soit trois mois après l'accession au pouvoir d'Hitler, sa maîtresse d'école lui fit dessiner des croix gammées sur son cahier. Il avait huit ans.

Ce récit est ainsi celui de la prise de conscience non pas de sa propre identité, mais de l'identité que les autres ont décidé de lui donner ; ou plutôt l'autre, en l'occurrence le voisin d'en face, Adolf Hitler.

Lorsqu'il a quitté l'Allemagne, huit mois avant la guerre, Edgar avait quatorze ans. Cela faisait dix ans qu'il vivait en face de chez Hitler, qu'Hitler vivait en face de chez lui. Cela faisait trois mille six cents jours et nuits. Trois mille six cents fois il a pu se coucher en se demandant si Hitler se couchait, et trois mille six cents fois il a pu se demander s'il était déjà levé le matin, à l'heure du petit déjeuner, et quelle nouvelle folie il allait décider ce jour-là. Sa vie d'adolescent aura été habitée par ces pensées : est-il là ? Que fait-il ? Veut-il nous tuer ? Va-t-il nous tuer ? Pourquoi, pourquoi nous, pourquoi moi ?

J'ai rencontré Edgar en 1995. Nous sommes en 2012. C'était il y a dix sept-ans. Le quotidien britannique *The Independent* avait publié un court article racontant l'itinéraire d'un enfant juif qui avait habité pendant dix ans en face de chez Hitler, à Munich, de 1929 à 1939 : Edgar Feuchtwanger. J'étais reporter à *VSD*. J'avais appelé le rédacteur en chef du journal qui m'avait donné le numéro de téléphone de l'auteur de l'article, la fille d'Edgar, Antonia. Elle avait bien voulu me communiquer celui de son père. Quelques minutes plus tard, le rendez-vous était pris et le week-end suivant j'étais chez lui.

J'étais venu avec un photographe, Nicolas Reynard. Nous avons passé la journée à bavarder autour d'une tasse de thé, servie par la charmante épouse d'Edgar, Primrose. Edgar nous avait raconté la vie à Munich sous Hitler. La vie des Juifs sous le IIIe Reich. Celle de sa famille. Il nous avait décrit les expressions du Führer. Vues par lui. De ses yeux d'enfant. Car il le croisait souvent dans la rue. Il se souvenait de personnalités telles que Ernst Röhm, Neville Chamberlain, Benito Mussolini, et quelques autres, qui, pendant dix ans, passèrent sous ses fenêtres. Il nous avait montré ses cahiers d'écolier coloriés de croix gammées. Nicolas avait alors photographié Edgar derrière sa fenêtre, en noir et blanc. Et nous étions repartis.

J'ai depuis souvent encouragé Edgar à écrire ses souvenirs. Mais Edgar est historien : à ses yeux d'universitaire la vie des anonymes n'est pas forcément digne d'être racontée. Et puis, il avait tant d'autres livres à écrire ! Alors le temps a passé. Il ne voulait toujours pas raconter. Nous sommes restés en relation. Nous téléphonant. Nous écrivant. Des lettres. Puis des mails. Bavardant parfois sur Skype.

La première fois que nous nous étions rencontrés, Edgar avait 70 ans et j'en avais 25. Il en a 88. J'en ai 43. Nicolas Reynard a disparu dans un accident d'avion lors d'une expédition. Primrose est décédée ce printemps. « Je commence à me poser des questions sur l'éternité », m'a dit Edgar. Il était temps d'écrire cet ouvrage. Alors nous sommes enfin partis sur les traces du Munich de son enfance. Avant que tout ne s'efface. Que tout disparaisse. Juste à temps.

Bertil Scali*, décembre 2012*

Que sont-ils devenus ?

Erna et Ludwig Feuchtwanger, les parents d'Edgar, ont pu quitter l'Allemagne dans les semaines qui ont suivi son départ, en mai 1939, quelques mois avant l'invasion de la Pologne par les troupes nazies, le 1er septembre 1939. Ils purent obtenir les autorisations nécessaires à leur immigration. Après un passage à Londres, ils ont rejoint leur fils à Winchester où ils se sont installés, recréant chez eux un peu de leur monde disparu dans ce nouveau pays dont ils ne connaissaient pas la langue. Malheureusement, dix-huit mois seulement après sa sortie du camp de Dachau, Ludwig fut à nouveau interné, cette fois-ci sur l'île de Man. On ne lui reprochait plus d'être juif, on s'en méfiait, car il était allemand. Après un séjour somme toute confortable comparé aux conditions de détention allemandes, auxquelles il n'avait survécu que par miracle, il fut libéré et put retrouver sa famille. Après une nouvelle vie, où il fut successivement professeur particulier d'allemand, consultant auprès de l'US Army puis chargé de l'étude de courriers du IIIe Reich, il mourut en 1947 à l'âge de soixante et un ans. Erna vécut jusqu'en 1979, heureuse au sein de la communauté de Winchester. Elle continua à préparer de délicieux repas allemands dans son vieux faitout, un véritable Promotheus munichois qu'elle n'aurait pour rien au monde abandonné aux nazis. Le récipient en fonte mijote encore parfois sur la cuisinière d'Edgar. Le parfum qui l'hiver embaume alors cette pièce ne trompe pas sur les goûts de son propriétaire. Ils sont restés très bavarois.

Lion Feuchtwanger a été emprisonné au camp des Milles par la police française. Celle-ci s'apprêtait à le livrer aux nazis. Il put s'en sortir grâce à l'intervention du consul des États-Unis à Marseille, sur l'insistance d'Eleanor Roosevelt. Il émigra aux États-Unis où il poursuivit sa carrière d'écrivain à Pacific Palisades, qui devint un centre intellectuel de l'émigration allemande. Ses amis, en particulier Bertolt Brecht, Thomas et Heinrich Mann, Franz Werfel et d'autres, s'y retrouvèrent régulièrement. Il mourut en 1958. Sa femme

Marta, qui lui survécut jusqu'en 1987, poursuivit une importante correspondance avec la mère d'Edgar, et invita son neveu.

Fritz Feuchtwanger fut lui aussi libéré de Dachau à la veille de Noël 1938. Avec sa femme **Erna** il put s'exiler *in extremis* aux États-Unis. **Franziska Diamant** et son mari purent y partir à la veille de la guerre. **L'oncle Berthold**, qui faisait tout différemment, réussit à embarquer pour le Pérou juste à temps. **Dorle**, la demi-sœur d'Edgar, vécut toute sa vie en Suisse. Pour les besoins du récit, certains points de sa vie privée ont dû être modifiés. La mère de Dorle, **Tante Lilly**, survécut elle aussi à la guerre, à Berlin puis dans un petit village de la Bavière.

La tante **Bella Feuchtwanger**, qui était si heureuse de pouvoir circuler librement dans l'Allemagne du IIIe Reich grâce à son passeport tchécoslovaque, fut arrêtée par les nazis lorsqu'ils envahirent Prague. Elle périt dans le camp de Theresienstadt.

L'amie d'enfance d'Edgar, **Beate Siegel**, la fille de l'un des premiers Juifs publiquement battus et exposés avec une pancarte disant : « Je suis Juif et je ne me plaindrai plus à la police » dans les rues de Munich en 1933, put quitter l'Allemagne grâce au programme britannique de *Kindertransport*. Ses parents et son frère Peter Siegel purent partir en 1940 à Lima, au Pérou, où Peter devint rabbin. Beate vit aujourd'hui à Londres, et parfois dans le sud de la France, près de Toulouse, où elle a relu les épreuves de cet ouvrage sur son ordinateur.

Bobbie Heckelmann, « Tante Bobbie », et le duc Luitpold de Bavière, qui n'étaient pas juifs, sont restés. Ils ont survécu aux bombardements. Edgar et sa mère ont retrouvé Tante Bobbie en 1957. Ils sont allés ensemble à l'Opéra de Salzbourg. Edgar se souvient que, toujours aussi mondaine, Tante Bobbie avait invité une princesse Saxe-Cobourg-Gotha pour l'occasion. Sa sœur **Friedl**, qui avait épousé un industriel de Hanovre, **Hermann Wolff**, a également survécu. Edgar a rendu visite au couple en 1966. Hermann, dont la société avait utilisé comme ouvriers les Juifs emprisonnés dans les camps de concentration pendant la guerre, avait été jugé à la Libération. Lors de cette entrevue, Hermann Wolff avait vanté l'incroyable énergie d'Adolf Hitler, comme pour chercher à justifier quelque chose. L'embarrassant monologue s'était simplement achevé par un froid plus embarrassant encore. La fille de Friedl, **Arabella**, a vécu à New York.

Edgar n'a jamais su ce qu'était devenue **Rosie**, une de ces jeunes filles qui l'avaient bercé, élevé et accompagné au parc puis à l'école toute son enfance, et qui dut quitter cette famille lorsqu'il fut interdit aux « aryens » de travailler pour des « Juifs ». Son personnage a été enrichi pour cet ouvrage afin de permettre au lecteur de mieux se situer dans le contexte politique et social de l'époque. Edgar ne sait pas non plus ce qu'est devenu le concierge de l'immeuble, le toujours très informé M. **Funk**. De la même façon, Edgar ignore tout du destin du petit **Ralph**, son camarade de classe qui l'invitait à ses anniversaires juste avant les premières lois antisémites de 1933, avant que plus de 90 % des Allemands votent pour donner les pleins pouvoirs au Führer.

Les **Ernst Bernheimer** et leur petite-fille **Ingrid** purent émigrer à Cuba en 1941, seul pays qui accepta de les accueillir. Ils auraient pu quitter l'Allemagne bien plus tôt, et pour un pays plus évident tels les États-Unis. Mais la mère d'Ingrid avait un frère atteint de trisomie que nul pays n'était prêt à accueillir. **Karli** aurait dû être euthanasié par les nazis, mais leur émigration cubaine le sauva *in extremis*. Autres membres de la famille, les **Otto Bernheimer**, survécurent en soudoyant Hermann Göring – lui vendant pour une bouchée de pain des œuvres de maîtres, achetant au Venezuela un ranch pour la tante du maréchal mariée à un Juif… Mais c'est une autre histoire !

Huit mois après le départ d'Edgar, **Adolf Hitler** ordonna à ses troupes d'envahir la Pologne. Dans son appartement, il exulta certainement en prédisant une nouvelle conquête pacifique. Cette fois-ci, la France et la Grande-Bretagne respectèrent leurs engagements et leurs principes et déclarèrent la guerre à l'Allemagne. Par le jeu des alliances, s'ensuivit un conflit mondial qui coûta la vie à cinquante millions de personnes. Tout au long de la guerre, les nazis allemands, aidés par leurs sympathisants en Autriche, Tchécoslovaquie, Pologne, Ukraine, Italie, Grèce, France et dans tous les pays par lesquels ils passèrent, poursuivirent leur politique antisémite qui anéantit plus de six millions de Juifs, gitans, homosexuels et autres minorités. Les Alliés finirent par remporter la victoire et Hitler se suicida dans un bunker à Berlin. Quelques temps plus tard, la photographe américaine Lee Miller posa nue dans la baignoire du Führer, juste en face de chez Edgar, pour un reportage réalisé avec David E. Sherman pour le magazine *Vogue*.

L'appartement munichois d'Hitler a été transformé en commissariat après la guerre. Rien n'indique plus que le Führer y a vécu un jour.

Edgar vit toujours dans le hameau de Dean, près de Winchester, dans le comté de Hampshire, comme depuis quelques mois après son arrivée en Grande-Bretagne, le 15 février 1939, il y a soixante-treize ans. Il fut recueilli par une famille volontaire de Cornouailles, le merveilleux couple Malcolm et Beryl Dyson – la trentaine à peine, parents de deux enfants de trois et cinq ans –, qui lui a appris l'anglais en quelques mois. En septembre 1939, il a obtenu une bourse d'études pour le Winchester College. Après la guerre, il a étudié l'histoire à l'université de Cambridge, matière qu'il a enseignée, puis sur laquelle il a écrit, se spécialisant sur des sujets tels que le règne de Victoria, l'histoire de la Prusse ou le parcours des Premiers ministres britanniques Disraeli et Gladstone, ainsi que sur l'histoire de l'Allemagne au XXe siècle, bien sûr. En 1962, il a épousé une jeune Anglaise, Primrose, dont le père a été un des généraux de la campagne de Normandie en 1944. Edgar a aujourd'hui quatre-vingt-huit ans. Il a eu trois enfants. Il a aujourd'hui trois petits-enfants. L'ambassade d'Allemagne l'a décoré pour ses services rendus aux relations anglo-allemandes. Il souhaiterait que l'on se souvienne de lui comme d'un « Anglais d'honneur ».

Cet ouvrage a été rédigé à Munich, Paris, Winchester et Londres, à partir des souvenirs d'Edgar, de ses Mémoires familiales publiées en Allemagne dans la maison d'édition où travaillait son père, Duncker & Humblot (*Erlebnis und Geschichte : Als Kind in Hitlers Deutschland – Ein Leben in England*[1]), de nombreux documents de l'époque tels que des numéros de *L'Illustration*, *Paris-Match*, *Paris-Soir*, de documents audiovisuels tels que les actualités en Allemagne, en France, en Grande-Bretagne et aux États-Unis, et des livres de Lion Feuchtwanger, dont *Le Juif Süss* et *Succès* en particulier, ainsi que celui de son rival en librairie de l'époque, *Mein Kampf*, dont l'auteur, végétarien, n'aimait pas les saucisses bavaroises au parfum grillé pourtant si typiquement savoureux.

1. *Expérience et histoire : une enfance dans l'Allemagne d'Hitler – Une vie en Angleterre.*

Extraits du cahier d'école d'Edgar, 8 ans, 1933

Feuchtwanger Lügen.

1 MAI 19[illegible]

Tag
der deutschen Arbeit.

Deutschland kann Not leiden, und muß es ertragen:

Kohlen

Eisen

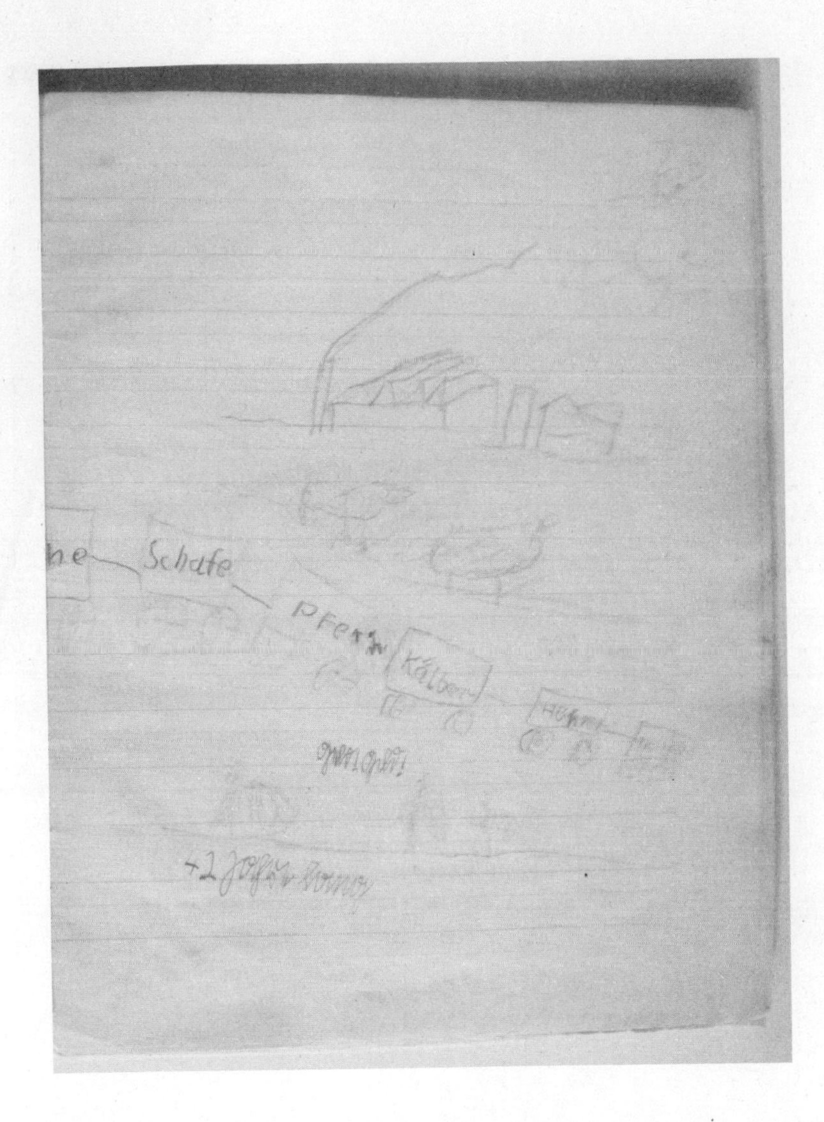
Schafe
Kälber

BAUERNHOF

2. Okt. 33

Heute ist Hindenburgs 87. Geburtstag.

Ich wünsche ihm Gesundheit, viel Glück und Freude an Deutschlands Jugend.

20.IV.34
Adolf Hitler
unser Führer, feiert seinen 45. Geburtstag.
Dein bester Lehrer
deutsche Jugend
ist dein
Hitler!

Unserm Führer.

Du willst nicht Würden u. nicht Ehren,

Du willst nur unser Führer sein

Und willst uns durch Dein Beispiel lehren,

Was echt ist und was edler Schein.

Schlicht ist Dein Kleid und schlicht Dein Leben,

Die Arbeit ist Dein täglich Fest.

Dein Glück ist, Deinem Volk zu geben,

Was Dich Dein Mut erringen läßt.

Führ' uns! Wir folgen treu dem Pfade

Zur echten, reinen, deutschen Art

Und beten, daß Dich Gottes Gnade

Noch lange, lange uns bewahrt!

Michael Siegel avec la pancarte « Je suis Juif et
je ne me plaindrais plus à la police »,
dans les rues de Munich le 10 mars 1933.

Extraits du cahier d'école d'Edgar, 9 ans, 1934

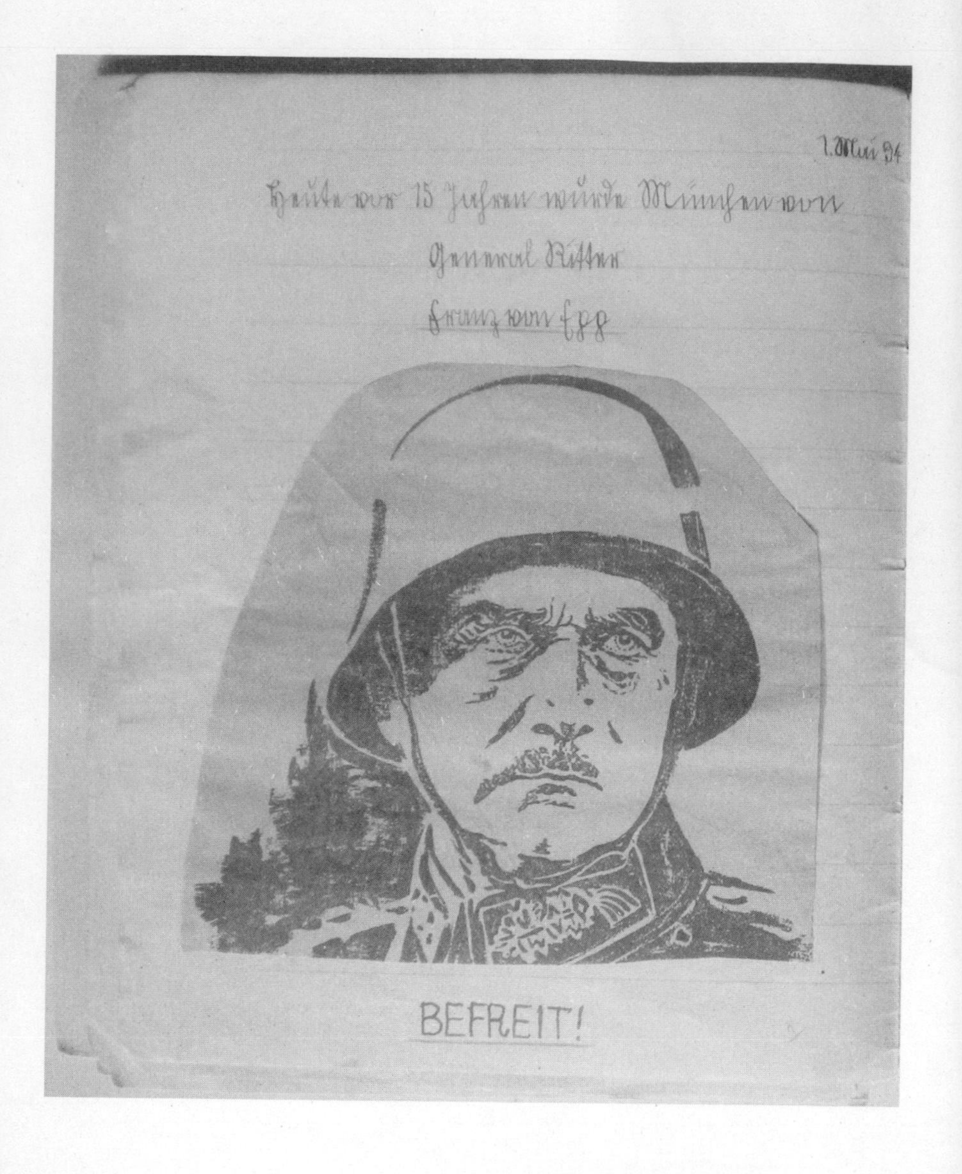
1. Mai 34
Heute vor 15 Jahren wurde München von
General Ritter
Franz von Epp
BEFREIT!

1. Mai 34

Tag der nationalen Arbeit

Bauer, Handwerker, Geistesarbeiter.

Jede Arbeit ist Dienst am Volke.

JCH WILL ARBEITEN SO GUT JCH KANN FÜR GOTT UND VATERLAND.

28. Juni 1919.

Um 15 h wurde der

Versailler Schandvertrag

unterzeichnet.

Ein jeder Satz ist deutsche Not
und jede Letter ein Lügengebot:
Versailles!

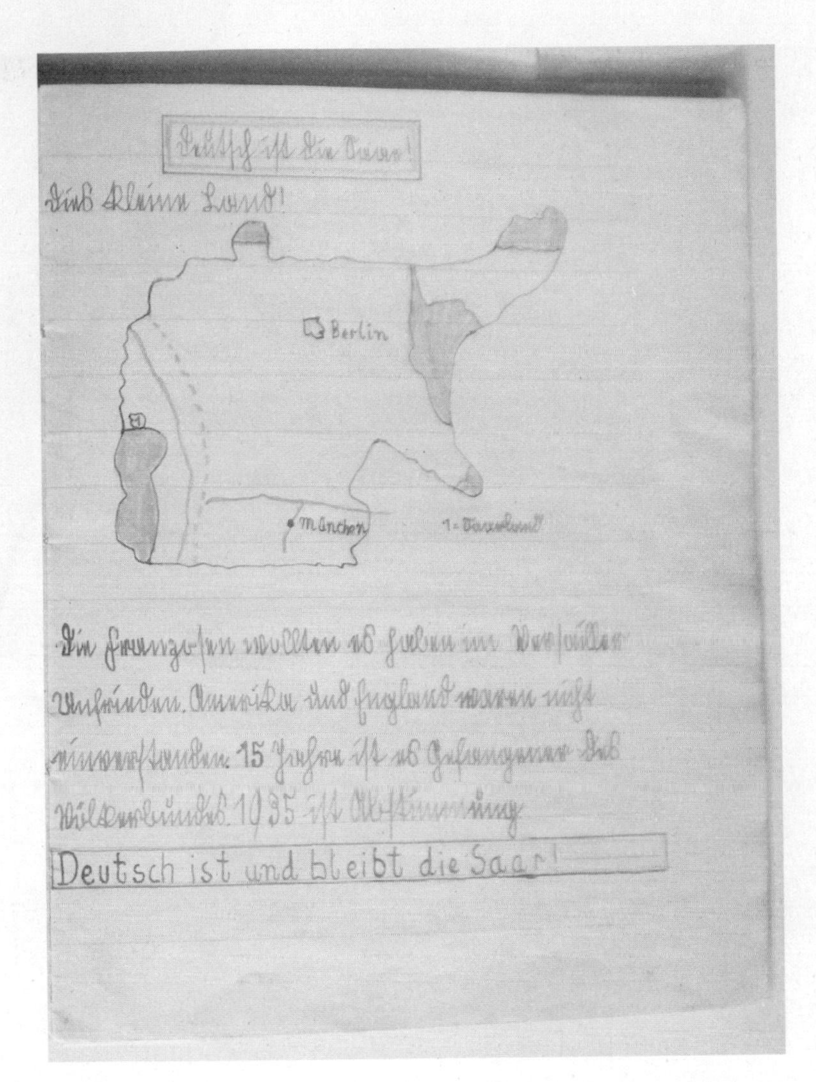
Berlin
München
Deutsch ist und bleibt die Saar!

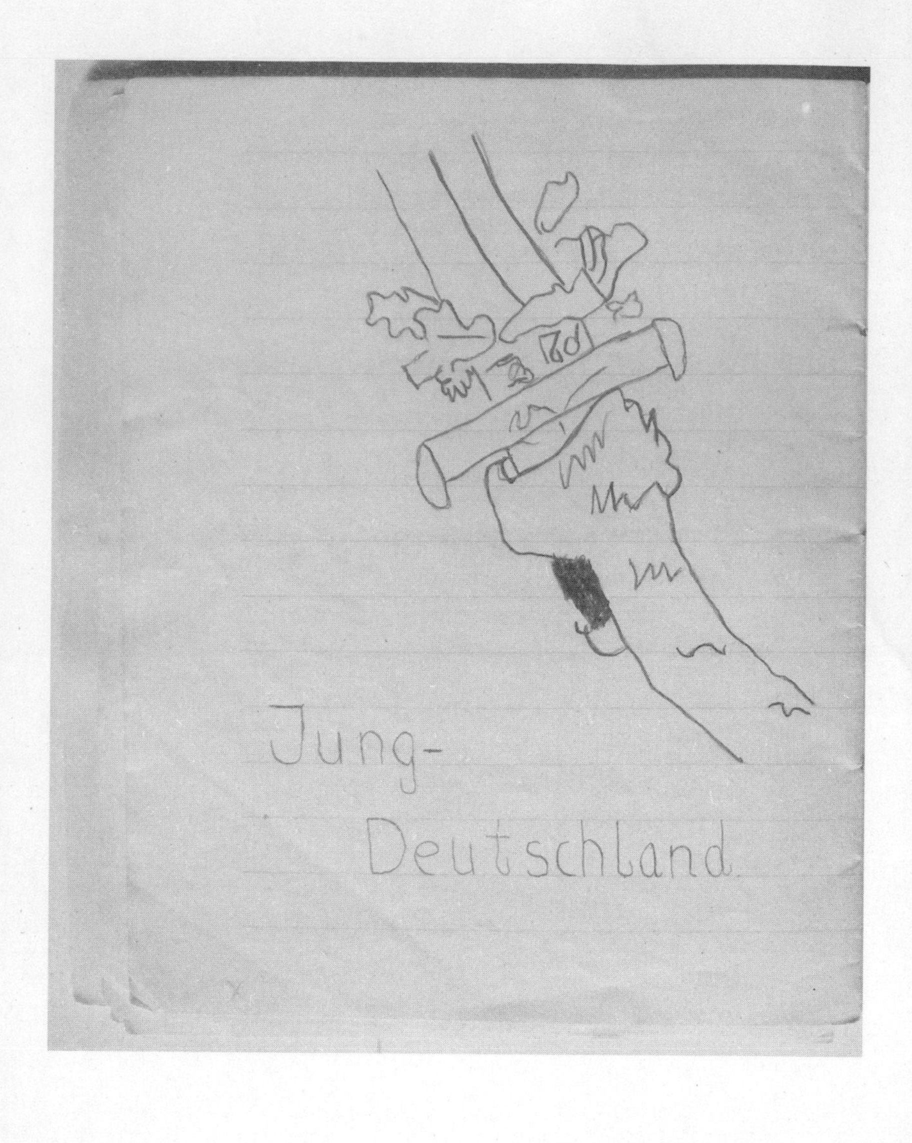
Jung-
Deutschland.

Der Sieg des 13. Januar.

Deutsch ist die Saar!

16 Jahre der Not,
16 Jahre der Fremdherrschaft,
16 Jahre der Verleumdung und will=
kürlichen Unterdrückung ist vorbei.
Mit eiserner Disziplin und trotzigem Volks=
willen setzten die treuen Saarländer

Bulletin de classe d'Edgar « -Israël »
Feuchtwanger, 13 ans, 1938

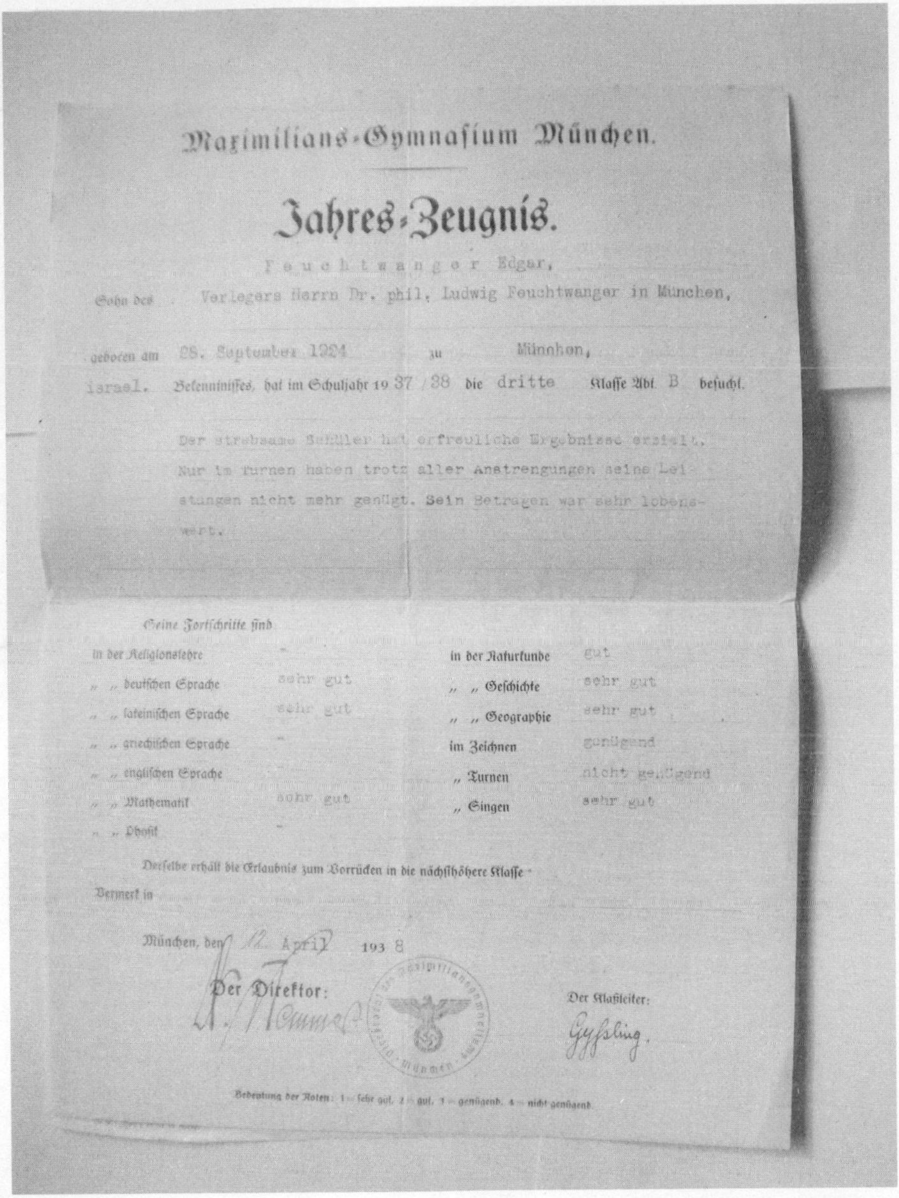

Maximilians-Gymnasium München.

Jahres-Zeugnis.

F e u c h t w a n g e r Edgar,

Sohn des Verlegers Herrn Dr. phil. Ludwig Feuchtwanger in München,

geboren am 28. September 1924 zu München,

israel. Bekenntnisses, hat im Schuljahr 1937/38 die dritte Klasse Abt. B besucht.

Der strebsame Schüler hat erfreuliche Ergebnisse erzielt. Nur im Turnen haben trotz aller Anstrengungen seine Leistungen nicht mehr genügt. Sein Betragen war sehr lobenswert.

Seine Fortschritte sind

in der Religionslehre	–	in der Naturkunde	gut
„ „ deutschen Sprache	sehr gut	„ „ Geschichte	sehr gut
„ „ lateinischen Sprache	sehr gut	„ „ Geographie	sehr gut
„ „ griechischen Sprache	–	im Zeichnen	genügend
„ „ englischen Sprache	–	„ Turnen	nicht genügend
„ „ Mathematik	sehr gut	„ Singen	sehr gut
„ „ Physik	–		

Derselbe erhält die Erlaubnis zum Vorrücken in die nächsthöhere Klasse.

Vermerk in

München, den 12. April 1938

Der Direktor:

Der Klaßleiter:

Gyßling.

Bedeutung der Noten: 1 = sehr gut, 2 = gut, 3 = genügend, 4 = nicht genügend.

Edgar à 5 ans en bas de chez lui.